U0115473

于大成著

淮南論文三種

文史哲出版社印行

淮南論文三種

著　者：于　大　成
出版者：文　史　哲　出　版　社
登記證字號：行政院新聞局局版臺業字第〇七五五號
發行所：文　史　哲　出　版　社
印刷者：文　史　哲　出　版　社
臺北市羅斯福路一段七十二巷四號
臺北市郵政信箱七——九九號
郵政劃撥儲金帳戶一六九九五號
電話：三五一一〇二八
實價新臺幣二八〇元
中華民國六十四年七月初版

版權所有・翻印必究

序

淮南鴻烈，籠絡萬有，出入百家，自來號稱難讀。清儒以迄近人，治之者多家，刊謬補闕，訓字疏義，其書乃稍稍可讀。余孳摩十年，先成淮南子校釋凡六十萬言，已付梓人，就正方家。因思尚有意所未盡者，亦得數事。淮南著書，鴻烈而外，復得如干種，沈晦二千年，少有過而問之者；而許愼、高誘已降，事其心力於此書者，或顯或隱；茲並一考其顚末，庶不沒昔賢辯書之苦心，爲淮南王書考第一。漢志著錄淮南內二十一篇，今本篇卷同，然自選注已下，凡唐宋載籍所徵引，或有出今本之外者，爲之裒輯成篇，略事考證，爲淮南鴻烈遺文考第二。自來治淮南者，以高郵王氏爲第一，所著淮南雜志二十二卷，精博無倫，然亦偶有立說稍疏，瑾瑜微瑕者；又雜志之作，成於百六十年前，自清季古籍大出，其足以鍼縷王氏之說者，亦所在多有；補其闕而正其誤，斯亦學者之所有事也，爲淮南雜志補正第三。彙斯三篇，上之梨棗，一以求正海內通人，一以見余比年用心之所在云爾。乙卯上巳，于大成書。

淮南論文三種

目次

淮南王書考

淮南王書，其見於漢志者：易家有淮南道訓二篇，（淮南王安聘明易者九人，號九師說。）雜家有淮南內二十一篇（王安），淮南外三十三篇，（師古曰：「內篇論道，外篇雜說」。大成案高誘淮南敘云十九篇，則東京之季已有殘闕。）詩賦八十二篇，淮南王羣臣賦四十四篇，天文家有淮南雜子星十九卷，歌詩類有淮南歌詩四篇。又兵權謀家省淮南王，樂出淮南、劉向等琴頌七篇，則劉氏向、歆父子固箸錄之。隋志五行家梁有淮南萬畢經、淮南變化術各一卷，淮南中經四卷，淮南八公相鵠經二卷，別集有漢淮南王集一卷（梁二卷）。宋志道家有淮南王劉安太陽眞粹論一卷，五行家有淮南王見機八宅經一卷，農家有淮南王養蠶經一卷（崇文總目二卷），秘書省續編到四庫闕書目道書有淮南王撰還丹歌訣一卷（闕）。都十八種。其淮南外、淮南雜子星、太陽眞粹論、見機八宅經、還丹歌訣無可考。淮南歌詩當爲采自淮南之地之國風，恐不出于安手，姑存而不論。淮南內即今傳淮南子，萬畢經、變化術即淮南中經，並於後文詳考。玆先就史志箸錄諸書略事考證。

淮南道訓二篇，王應麟漢書藝文志考證云：『七略曰：「九師道訓者，淮南王安所造」。張平子思玄賦：「文君爲我端蓍兮，利飛遁以保名」，注云：「遯上九曰：飛遯無不利。淮南九師道訓曰：「遁而能飛，吉孰大焉」。曹子建七啓：「飛遯離俗」，注亦引之。蓋以肥為飛。劉向別錄：「所校讎中易傳淮南九師道訓，除復重，定著十二篇。淮南王聘善為易者九人，從之採獲，故中書著曰淮南九師書」。文中子謂：「九師興而易道微」隋志已亡其書』。馬國翰玉函山房輯佚書一卷，序云：『九師不詳何人。高誘淮南鴻烈解序：「天下方術之士多往歸焉，於是遂與蘇飛、李尚、左吳、田由、雷被、毛被、伍被、晉昌等八人及諸儒大山、小山之徒，共講論道德，總統仁義，而著此書」。然則道訓之九師，亦其流也。陳振孫書錄解題以荀爽九家當之，誤矣。文中子小說云：「九師興而易道微」。觀其命書之義，頗涉玄宗，或有道其所道而無資於聖經者，遂以來河汾君子之譏乎？隋、唐志皆不著錄，其佚已久。文選注兩引其訓飛遁之語，此外罕見稱述。朱太史彝尊經義考謂陸氏於需、蠱、遯、損諸卦，其所引稱師者，當即九師本。又謂鴻烈解引易曰：「剝之不可遂盡也，故受之以復」，此則道訓之序卦傳文。案九師之書，定於淮南，鴻烈所引，自與道訓合。丁氏槐箋困學紀聞，亦以陰陽言日夕為道訓之說。竹垞之言，信而有徵；至謂陸氏引稱師者即九師本，似尚未確。釋教於他經亦稱師說，決非九師。臧氏鏞謂陸氏之師，盧抱經釋文考證取之。故玆僅據朱氏後說，採淮南書中諸引易語，輯為一卷，聊存道訓之遺』。今案選注所引，亦見後漢張衡傳注引。王氏伯厚謂九師以肥為飛，蓋今本易遯作「肥遯」，西溪叢語上云：「肥字古作𩇯，與古蜚字相似，即今之飛字，後世遂改為肥字」，則今本作肥者，迺蜚之誤文耳。近人胡兆鸞嘗刺淮南子及淮南文引易義者一一揭出，疏通證明之，成書曰淮南周易古義，凡二卷，又補佚一卷，未刊。

淮南王賦，別錄淮南王有薰籠賦，高誘淮南叙有離騷賦。今唯屏風賦存於藝文類聚六十九、初學記二十五、太平御覽七百一。外此無聞焉。隋志集一卷，梁七錄及兩唐志並云二卷，屏風賦當在其中。漢嚴助傳載其諫伐南越上書，又藝文類聚八十九引其成相篇，漢志有成相雜辭十一篇宜亦在收羅之列。本傳：「又獻頌德及長安都國頌」，此與離騷、薰籠二賦不知隋、唐之時尚存否。此集自出後人纂輯，編文爲集，非淮南時所能有也。

淮南王羣臣賦，楚辭有招隱士一篇，王叔師云：「招隱士者，淮南小山之所作也。昔淮南王安博雅好古，招懷天下俊偉之士，自八公之徒咸慕其德，而歸其仁，各竭才智，著作篇章，分造辭賦，以類相從，故或稱小山，或稱大山，其義猶詩有小雅、大雅也」。今案叔師之說，云「淮南小山之所作」，則小山宜爲人名，云「義猶詩有小雅、大雅」，則又是篇章體制之名。其言自相齟齬有如此者。蓋舊傳有小山之偁，叔師不能的指，故造此模稜之說耳。

北堂書鈔百十三引抱朴子云：「淮南王所著兵書，皆魁罡之陣，風氣之占，及軍中之變象徵祥，觸物之候，知敵盛衰，俟時而動之術。無以知止之不可測，天心之去就，使進則百勝，退則安全也」，淮南兵書之可考者厪此。

相鵠經，兩唐志作相鶴經，藝文類聚九十、初學記三十、太平御覽九百十六作淮南八公相鶴經。今王荆公臨川集七十中有其全文，末跋云：「其文李浮丘伯授王子晉，式古堂書彙考十九谷陽生書相鶴經李作廼。又崔文子學道於子晉，得其文；藏嵩山石室，淮南公采藥得之，遂傳於近代」。黃伯思東觀餘論跋愼漢公所臧相鶴經後云：「按隋經籍志、唐藝文志相鶴經皆一卷，今完書逸矣。特馬總意林及李善文選注鮑照舞鶴賦鈔出大略。今眞靜陳尊師所書卽此也。而流俗誤錄著故相國舒王集中，且多舛午。今此本旣精善，又筆勢婉雅，有昔賢風，殊可珍也」。考之隋志別有浮丘公相鶴書二卷，兩唐志相鶴經亦云浮丘公，則淮南八公相鵠經，鵠當是鶴之誤文。此亦如師曠禽經、寧戚相牛經、伯樂相馬經之類，蓋皆後人所依託，未必出於浮丘公或淮南王也。

淮南王養蠶經，蓋亦後人依託，如陶朱公養魚經之類。余比年輯得數事，合爲一卷。

史志之外，漢書本傳稱武帝「使爲離騷傳，且受詔，日食時上」。班孟堅序離騷云：「昔在孝武，博覽古文。淮南王安叙離騷傳，以國風好色而不淫，小雅怨悱而不亂，若離騷者，可謂兼之。蟬蛻濁穢之中，浮游塵埃之外，皭然泥而不滓。推此志，雖與日月爭光可也。斯論似過其眞。又說五子以失家巷，謂伍子胥也。及至羿、澆、少康、貳姚、有娀佚女，皆各以所識有所增損，然猶未得其正也」。劉彥和辨騷亦云：「昔漢武愛騷，而淮南作傳」。淮南封地近楚，爲騷作傳，其事固宜。且今淮南書中，其本於楚辭者甚多。惜王逸重定章句，而淮南之傳因以不傳，今唯班序厪存一斑，史公采以入屈原傳中矣。天問曰：「白蜺嬰茀，胡爲此堂，安得夫良藥，不能固臧」，集註引舊注：「列仙傳云：崔文子學仙於王子僑，子僑化爲白蜺而嬰茀，持藥與之。文子驚怪，引戈擊蜺，因墮其藥。俯而視之，子僑之尸也」。楊愼（丹鉛雜錄八）以爲「此本淮南王安離騷傳之說，而王逸述之」。今案王逸重定章句，其注必有因乎淮南之傳者，其事固無可疑。唯此注是否淮南傳中語，則未能定也。又案本傳所稱「使爲離騷傳」云云，高誘淮南敘作「使爲離騷賦」。依理推之，爲離騷傳，自旦受詔，何能日食時上！必淮南先有離騷傳，上見其書，因使爲賦耳，高道之說是也。

又廣博物志（四十二）、天中記（五十一）引淮南王草木譜，恐亦如淮南王食經、（大業雜記：「尙食直長謝諷造淮南王食經」。舊唐志子錄醫術類有淮南王食經一百二十卷，諸葛潁撰，又淮南王食目十卷，又淮南王食經音十三卷。新唐志作諸葛潁淮南王食經一百三十卷。）淮南王鍊聖石法（宋志子部道家類、四庫闕書目有楊知玄撰淮南王鍊聖法一卷，秘書省續四庫書目作鍊聖石法。）之類，迺後人之書。至靈棊經（二卷）則四庫提要已斥其僞託矣。

統傳志所載，凡得淮南之書二十種，除復重，又淮南歌詩一種不數，合得十有六種。它時當合爲淮南全書，備觀覽焉。

漢書本傳云：「淮南王安，爲人好書鼓琴，不喜弋獵狗馬馳騁，亦欲以行陰德，拊循百姓，流名譽。招致賓客方術之士數千人，作爲內書二十一篇，外書甚衆。又有中篇八卷，言神仙黃白之術，亦二十餘萬言」。又楚元王傳云：「淮南有枕中鴻寶苑秘書，（師古曰：鴻寶苑秘書，並道術篇名，臧在枕中，言常存錄之，不漏泄也。）書言神仙使鬼物爲金之術，及鄒衍重道延命方。世人莫見。而更生父德武帝時治淮南獄得其書，更生幼而讀誦，以爲奇，獻之」。合前引藝文志觀之，則所謂淮南之書，凡內篇二十一篇，外書三十三卷，中篇八卷，而枕中鴻寶苑秘書卽中篇也。今外書亡，弗具論。中篇亦名萬畢術，書久佚，後儒頗有輯本。（詳後）玆先論其內書。內書卽今淮南子。

高誘敘淮南稱，其書「號曰鴻烈。鴻，大也。烈，明也。以爲大明道之言也」。（要略篇：「此鴻烈之泰族也」，許愼注曰：「鴻，大也。烈，功也。凡二十篇，總謂之鴻烈」。）西京雜記（卷三）曰：「淮南王安著鴻烈二十一篇。鴻，大也。烈，明也。言大明禮敎。號爲淮南子，一曰劉安子」。是此書在昔凡有三名：曰鴻烈，曰淮南子，曰劉安子。而劉向校定撰具，名之淮南，見高敘。後人依用焉。

今本淮南書亦二十一篇，與漢志合，唯試考之歷朝書目，則又有踳駁不能相一者。梁庾仲容子鈔二十二卷。據馬總意林及高似孫子略引。隋志淮南子二十一卷，漢淮南王劉安撰，許愼注。淮南子二十一卷。高誘注。舊唐志淮南商詁二十一卷，劉安撰。大成案商爲閒之誤文，說詳下。淮南子注解二十一卷，高誘撰。淮南鴻烈音二卷。高誘撰。新唐志許愼注淮南子二十一卷，高誘注淮南子二十一卷，又淮南鴻烈音二卷。宋志淮南子鴻烈解二十一卷，淮南王安撰。許愼注淮南子二十一卷，高誘注淮南子十三卷。通志藝文略淮南子二十一卷，漢淮南王劉安撰，許愼注。又二十一卷，高誘注。淮南鴻烈音二卷。崇文總目淮南子二十一卷，許愼注。淮南子二十一卷。高誘注。郡齋讀書志淮南子二十一卷，後漢許愼注。愼自名注曰「記上」。今存原道、俶眞、天文、地形、時則、覽冥、精神、本經、主術、繆稱、齊俗、道應、氾論、詮言、兵略、說山、說林等十七篇。李氏書目亦云：「第七、第十九亡」。崇文目則云：「存者十八篇」。蓋李氏亡二篇，崇文亡三篇，家本又少其一。案漢志著錄二十一卷，至子鈔乃反多一卷，迺事所必無，島田翰氏謂二字恐是一字筆誤，其說是也。至宋，而頗有殘闕，李氏邯鄲圖志亡其二，崇文目亡其三，晁志亡其四，宋志高注廑存十三卷矣。然子略云：「讀其書二十篇」，洪邁容齋續筆卷七云：「今所存者二十一卷」，陳振孫亦載完本。夫子略所謂二十篇者，舍要略一篇不數也。要略一篇，蓋淮南叙目，其例與揚子法言、王符潛夫等書正同。莊逵吉序考要略篇云：「言道而不言事，則無以與世浮沉；言事而不言道，則無以與化游息。故著二十篇」，此下卽歷舉二十篇之名，而要略一篇不在其內。又云：「欲强省其辭，總覽其要，弗曲行區入，則不足以窮道德之意。故著書二十篇」，又云：「誠通乎二十篇之論，覩凡得要，以通九野，徑十門，外天地，捭山川，其於逍遙一世之間，宰匠萬物之形，亦優游矣」。是淮南自謂其書止二十篇。故許愼于要略篇題下注云：「凡鴻烈之書二十篇，略數其要，明其所指，序其微妙，論其大體」，又于「此鴻烈之泰族也」。句下注云：「凡二十篇，總謂之鴻烈」，是要略之爲序論，不在鴻烈之內，許注言之甚明。班固並要略數之，故云二十一篇，高似孫除要略不數，故止二十篇也。已上並余嘉錫說。至洪邁、陳振孫猶得見二十一卷完本者，亦自有說：蓋淮南書自東京已降，許、高二注本自別行，至北宋而皆有殘闕。蘇頌既以白文補高本之闕，二十一篇之數已還舊觀，詳後故秘閣有二十一卷之本。民閒則以許補高，故亦有二十一卷完本。二十一卷固完，而許、高二氏之注實皆不全。

淮南注本，在東漢凡有四家：曰許慎，曰馬融，曰延篤，曰高誘。馬注見本傳，今無隻字之遺。延注厪見文選養生論善注一引。延叔堅曰：「豫章與枕木相似，須七年乃可別耳」，此脩務篇「豫章之生七年可知」之注文也。亦見天中記五十一引。陶氏方琦謂「叔堅即叔重之譌。後人以東漢有延篤字叔堅，遂增入延字」，並以此條收入異同詁。今案其說非是，李善引許淮南注，凡百一條，皆作許慎，無標許叔重者。許慎二字無由譌爲延叔堅也。延篤本傳雖不言注淮南，亦猶許慎傳之不言注淮南一也。延氏之作淮南注，雖它無所徵，要不得以爲許叔重之譌。傳于今者，許、高二家爾。

今傳淮南諸本，以黃丕烈舊藏北宋本爲最古，金友梅有景鈔本，劉泖生又據金本景寫，張元濟取以印入四部叢刊。其本首載高誘敍，卷耑題「太尉祭酒臣許慎記上」，故陳振孫云：「今本記題許慎註，而詳序文，即是高誘，不可曉也」，劉績乃云：「淮南一書，漢許慎記上，而高誘爲之註。記上猶言標題進呈也」，四庫提要遂云：「慎注散佚，傳刻者誤以誘注題慎名也」。清儒肆力淮南，若王氏懷祖、顧氏千里、兪氏蔭甫，用力不可謂不勤，見卷首有高叙，天文篇注有誘名，天文篇注云：「鍾律上下相生，誘不敏也」。遂認今本爲高注而非許注。不知淮南王書，高氏固有注，許氏亦自有注，今傳本中，有高注，亦有許注也。逮道光間蘇魏公集出，其事迺大白。蘇氏校淮南子題序（見卷六十六）云：『是書有後漢時太尉祭酒許愼、東郡濮陽令高誘二家之注。隋、唐目錄，皆別傳行。今校崇文舊書與蜀川印本暨臣某家書凡七部，並題曰淮南子，二注相參，不復可辨。惟集賢本卷末有前賢題載云：許標其首，皆曰間詁，鴻烈之下，謂之記上。高題卷首，皆謂之鴻烈解經，解經之下曰高氏注，每篇之下皆曰訓，又分數篇爲上下。以此爲異。崇文總目亦云如此。又謂高氏注詳於許氏，本書文句亦有小異。然今此七本皆有高氏訓敍，題卷仍各不同：或於解經下云許愼記上，或於間詁上云高氏，或但云鴻烈解，或不言高氏注。或以人間篇爲第七，或以精神篇爲第十八。（大成案今本精神篇第七，人間篇第十八，與要略篇敘目前後次序合。今本要略許注本，則今本篇第蓋依許本也。）差參不齊，非復昔時之體。臣某據文推次，頗見端緒：高注篇名，皆有「故曰，因以題篇」之語，其間奇字，並載音讀。許於篇下，粗論大意，卷內或有假借用字：以周爲舟，以楯爲循，以而爲如，以恬爲惔，如此非一。又其詳略不同，誠如總目之說。互相考正，去其重複，共得高注十三篇，許注十八篇。又案高氏敘：「典農中郎將卞揖借八卷，會揖喪，遂亡。後復補足」。今所闕八篇，得非後補者失。其定著外所闕卷，但載淮南本書，仍於篇下題曰「注今亡」。許注仍不敍錄。並以黃紙繕寫，藏之館閣』云云。今以蘇氏識別之法以校今本，則原道、俶眞、天文、地形、時則、覽冥、精神、本經、主術、汜論、說山、說林、脩務十三篇，釋義多詳，篇題下皆有「故曰某某，因以題篇」字樣，高注本也。繆稱、齊俗、道應、詮言、兵略、人閒、泰族、要略八篇，注文質略，又無「故曰」云云八字，許注本也。考宋本繆稱篇卷耑題「淮南鴻烈閒詁第十」，要略篇卷耑題「淮南鴻烈要略閒詁第二十一」，而日本古鈔卷子本兵略篇卷耑題「淮南鴻烈兵略閒詁第廿」，篇題作「兵略閒詁」，（宋本篇題亦誤作兵略訓，它篇並是訓字。）正與蘇氏之說畢合，迺許本之舊也。

許注名曰閒詁，蘇魏公集與卷子本、宋本若合符契，王應麟漢志考證（卷七）同，其事本無可疑。舊唐志作商詁，直指爲劉安撰，陶氏方琦（異同詁敘）謂「商詁迺閒詁之譌。不言許愼注，明系敓文」，以新唐志直云許愼注，不云商詁證之，其說甚是。而後人或以爲當作閒詁者，兪正燮（癸巳類稿十四書開元占經目錄後）云：「淮南閒詁者，許愼所上也」，程秉銛（趙之謙勇盧閒詁序）云：「閒詁云者，淮南之佚，單文匱存，散見他籍，太史公所謂書缺有閒，閒則詁之」，其實皆非也。葉德炯（葉德輝輯淮南鴻烈閒詁跋）云：「古人箸書無以詁名者。孔叢子有詰墨篇，乃僞書，不可信。且詰者，駁議之名，非訓詁之名。許君此書訓詁詳明，何爲而名詰乎」，斯言也可以正兪、程二家之繆矣。至所謂閒詁云者，葉氏以爲與箋同實，蓋集諸說以折衷之，約略箋識其旁，若夾注然。吳則虞（淮南子書錄）更推衍其說，以爲：「許注名曰閒詁，下題曰記上。閒，謂閒隙也。記，猶箋識也。言得其閒而箋識之，（與章句之學不同。）猶王氏雜志、兪氏平議之摘句說經」，且以爲：「許無章句，不載本文；高則具載本文」，說當是也。

高注名曰解經，其序呂氏春秋自云；「作淮南、孝經解」，卷耑皆署「呂氏春秋訓解」，與淮南之題作「淮南鴻烈解」，而篇題曰「某某訓」者若出一揆，則高氏注書例如此。然則今本自原道已下十三篇注確出高氏無疑也。高氏范書無傳，仕履具見淮南叙文。字道，見金樓子聚書篇。（金樓子云：「范鄱陽胥經餉書，如高道注戰國策之例是也」，鮑本如此。四庫館輯永樂大典本改道爲誘。陳祺壽曰：『道不當改。詩召南「吉士誘之」，毛傳：「誘，道也」。高涿郡名誘，字道，名字正相應。古人表字往往有一字者，朱錫鬯曾言之，詳見曝書亭集』。見呂傳元淮南子斠補序。）

若夫許、高二本卷帙，隋志已下，皆作二十一卷，至宋志迺于淮南子鴻烈解二十一卷之外，別出高誘注十三卷。源夫二家之注，並沿淮南王書舊文，本皆爲二十一卷，了無所異。特其後日漸殘闕，二本並不完，至蘇頌校書秘閣，則高止存十三篇，許止存十八篇矣。許君二十一篇皆有注，具見淸儒輯本，無勞獻疑。至高注篇數，亦有以爲原本止有十三篇者。吳則虞執高氏叙文「典農中郎將弁楫借八卷刺之，會楫身喪，遂亡不得。至十七年遷監河東，復更補足」云云，以爲「繆稱八卷，悉爲許詁舊文。序所云補足者，非高自補之，言於河東得許詁以補其缺也。是高誘固未嘗盡注全書，挹彼注玆，以完篇卷」。案其說當本于陸心源。今案其說非是，考選注、御覽諸書，所引繆稱已下八篇注文，頗有益出今許注本外者，其不言高誘者姑且無論，今試卽其明標高名者，彙列如次：

「夫子見禾之三變也，滔滔然曰：狐鄉丘而死，我其首禾乎」。繆稱

文選張平子思玄賦注、後漢張衡傳注並引高注曰：「禾穗向根，故君子不忘本也」。

「蜡知將雨」。

御覽九百四十八、廣韻十四皆引高注曰：「蜡蟲也，大如筆管，長三寸餘，代謂之猥狗。知天雨，則於草木下藏其身」。

「甯戚擊牛角而歌，桓公舉以爲大田」。

文選江文通雜體詩注引高注曰：「大田，官也」。

「犧牛騂毛，宜於廟牲，其於以致雨，不若黑蜧」。齊俗

文選張景陽雜詩注引高注曰：「黑蜧，黑虵也，潛於神泉，能致雲雨」。

「禹有洪水之患，陂塘之事」。

文選木玄虛海賦注引高注曰：「陂，畜也。塘，堤也」。

「令尹子瑕請飲，莊王許諾，子瑕具於京臺，莊王不往，曰：吾聞京臺者，南望獵山，北臨旁皇，左江右淮，其樂忘歸」。道應

文選應休璉與滿公琰書注引高注曰：「京臺，高臺也。方皇，大澤也」。

「鏡不設形，故能有形」。詮言

文選陸士衡演連珠注引高注曰：「鏡不豫設人形貌，清明以待人形，形見則見之」。

「臺無所鑒，謂之狂生」。

文選任彥昇出郡傳舍哭范僕射詩注引高注曰：「臺，持也。所鑒者玄德，故爲狂生。臺，古握字也」。

「賈多端則貧，工多伎則窮，心不一也」。

齊民要術貨殖篇、御覽八百二十九引高注曰：「賈多端，非一術；工多伎，非一能。故心不一也」。

「唐子短陳駢子於齊威王」。人閒

文選宋玉登徒子好色賦注引高注曰：「短，說其罪闕也」。

「張瑟者小絃絚，大絃緩」。泰族

文選馬季長長笛賦注、藝文類聚五十二引高注曰：「絚，急也」。

「窮谷之汚，生以蒼苔」。

文選謝希逸月賦注、又張景陽雜詩注引高注曰：「蒼苔，水衣也」。

「趙王遷流於房陵，思故鄉，作爲山木之嘔，聞者莫不隕涕」。

文選江文通恨賦注引高注曰：「秦滅趙，虜王遷，徙房陵。房陵在漢中。山木之嘔，歌曲也」。

「勾踐棲於會稽，脩政不殆，謨慮不休，知禍之爲福也」。

文選賈誼鵩鳥賦注引高注曰：「山處曰棲，越滅吳稱霸」。

「蘺先稻熟，而農夫薅之者，不以小利害大穫」。

齊民要術水稻篇、御覽八百二十三並引高注曰：「蘺，水稗」。

「昌羊去蚤虱，而人弗席者，爲其來蚙窮也」。

御覽九百五十一引高注曰：「蚙窮，幽、冀謂之蜻蚳，入耳之蟲」。

「齊俗者，所以一羣生之短脩，同九夷之風采」。要略

文選左太沖魏都賦注引高注曰：「風，俗也。采，事也」。則今本許注八篇中，高注之見引於北宋已前舊籍者，凡七篇皆有，唯兵略一篇闕如耳。（御覽三百五十七引「夫栝淇衞箘簵」云云一條，注文雖標高誘，實爲許愼。御覽誤引。攷見拙著淮南子校釋當篇。）然高氏既注餘二十篇，亦不容獨釋此一篇不注，知高於淮南二十一篇，實遍加訓解，吳說非其實也。唯自御覽成書已後，書漸散佚，逮蘇頌斠書祕閣，許、高二注已無完本，蘇氏以高注詳澹，故取厥見存之原道已下十三篇；其所闕繆稱已下八篇，則取白文補足之，（猶四庫館臣自永樂大典輯出文子纘義，廑得精誠等七篇，闕其道原等五篇，則取通行本文子補之。）許注本仍不敍錄。其後宋志箸錄有所謂高注十三篇者，疑卽蘇氏斠定之本，以其本高注廑十三篇，故云，非高注原本止有十

三篇也。

方蘇氏之斠理淮南也，凡得高注十三篇，許注十八篇，蘇氏固以高詳而許略，取高而遺許。其流傳於民間者，則或就許注十八篇中，取高所闕八篇，補入高本，故北宋本中，高注有十三篇，而許注有八篇也。此非蘇氏斠定之本，厥理甚明。而陶氏方琦見宋本如此，輒疑蘇氏所云「互相考證，去其重複，共得高注十三篇，許注十八篇」八上十字爲衍文。以爲「高注十三篇，許注八篇，正合二十一篇之數」。異同詁敘不知玉海五十五引蘇魏公集亦云十八篇，且許注蘇氏不加敘錄，明箸敘文之中。陶氏蓋誤以今傳宋本卽蘇氏斠定之本，致生糾纏耳。

道藏本淮南分二十八卷，蓋釐原道、俶眞、天文、地形、時則、主術、氾論諸篇爲上下，斯七篇者，今本皆高氏注，故蘇頌序中謂高本「又分數篇爲上下」，以此爲異於許本。不知倭傳古鈔卷子本兵略閒詁，卷耑題「淮南鴻烈兵略間詁第廿」，自「古之用兵者」汔「國无守城矣」止，當今本全篇之半，此是許注本，卷子本與宋本注同。亦分上下。且兵略篇宋本弟十五，而卷子本乃爲弟二十，是許本古亦多分上下，且卷數更較高本爲繁。考藤原佐世日本國見在書目有淮南子三十一卷本，漢淮南王劉安撰，高誘注。疑卽許注古本。蓋兵略上弟二十，則兵略下弟二十一。兵略已下，自說山至要略，凡得六篇，其中脩務、要略二篇字少，可無庸分，餘四篇各分上下，則六篇析爲十卷，合兵略已上二十一卷，適得三十一卷之數也。桂湖村氏漢籍解題謂「卅一是廿一之譌」，吳則虞說同，恐未然也。或謂日本國見在書目別有淮南子廿一，許愼注，則此卅一當如箸錄云高誘，不得爲許愼。以宋本今案卷子本雖篇題曰「閒詁」，而下方仍系「高氏注」三字，卷末亦作「淮南鴻烈解卷第廿」，是雖曰許本，固有高本竄亂矣。推之，此卷子本當爲唐鈔，至遲亦不得下至北宋之初，而其本已如此。彼邦書目之不盡可據，亦猶我宋人諸書目之不盡可據，又何疑也！

東漢注淮南者，雖有四家，而馬、延二注，隋志已不箸錄，卽不盡亡，亦殘闕過甚，所餘無幾，故隋、唐已下人所引淮南，皆許、高二注，而見錄於書志者，亦止此二家也。迺鄭君良樹（淮南子斠理自序）別持異說，其言若曰：『高氏生當東京，上距劉安二百年有餘，所見淮南，殆已非其舊矣。是故高氏於注文中屢屢稱引異本。高氏去許君不遠，其太老師馬季長與許君同代，（大成案後漢書本傳，馬氏卒于漢桓帝延熹九年。蔣元慶、陳邦福盧君年表，盧氏生于延熹二年。計季長卒年，子幹纔七齡。後漢書稱其師事馬融，融敬之云云，疑非其實。）且極嘉許許君，故高氏當見及許注本。今考高注所稱引異本，有確實爲許注本之異者。亦屢屢稱引異本，此異本爲許、高注本外別出一本，與許、高注本並殊。高氏注文稱引或本作某者凡五十餘處，除可明考爲許、高之異及許、高本同而與別一本異者外，其不可明考者凡二十餘處，就中容或有爲許注本之異，或有爲別本之異。後人如王念孫、引之父子，俞樾、陶方琦、吳承仕、劉文典等於校證此書之殊異者，則屢稱「此許、高本之異也」云云，然則許、高本之異容有如此之多耶！高氏生距劉安二百餘年，稱引詳盡，何以不知？或高氏有所疏忽而遺漏，何以竟如此之多耶？是後人屢屢委質許、高本之異云云者，蓋多不可置信也』。今案昔人注書，於異本或加徵引，或竟舍諸，亦靡有一定。高注淮南，雖多引異本，亦未必悉數徵引。矧未有刻板之前，學者手自鈔寫，人人家有其書，高氏蒐羅雖富，亦何能盡網天下之本！隋、唐已下，止存許、高二本，載在書志，章明較著，類書所引，非許則高，非高則許，其理甚明！至云許、高之異不容如斯之多，尤爲不達之論。考許君生光武建武時，卒安帝時，（許君生卒年，舊說未盡可據，詳高先生仲華許愼生平行跡考。）淮南之注，迺其少作。高氏獻帝時人，其生年去許君注淮南之年，前後當百年左右。百年之閒，傳鈔不知凡幾，兩本多異，事理之常。儒書刻于石經，後世猷多岐出，釋文所引之不合漢、魏石經者衆矣，況無定本之淮南書也！清儒以唐、宋人引異文爲許、高異同，是也。（其閒或不能無一二例外，要如亭歷多生，人曰冬死，薺麥夏死，人曰夏生，別無佐證，唯從其衆。）

淮南注本，許、馬、延、高之外，又有所謂應劭注、司馬彪注者，皆屬誤傳，並考如下。（多本吳則虞說。）

文選長楊賦注：「應劭淮南子注云：堯之時，窫窳封豕鑿齒皆爲人害。窫窳類貙，虎爪，食人」，下引服虔、李奇、晉灼諸說。侯康據之列應劭淮南注于補後漢藝文志，汪師韓文選理學權輿書目門亦收之。今考漢書揚雄傳注作「應劭曰：淮南子云」云云，下亦引服、李諸說。蓋選注所引，本應劭漢書注文，應劭下奪曰字，注字本在害字下，誤錯淮南子下，一若應劭有淮南子注矣。（案應劭引「皆爲人害」已上廼本經篇文，「窫窳類貙」已下，廼許君注文，說詳異同詁。）

文選歸去來辭注：『淮南子要略曰：「山谷之人，輕天下，細萬物，而獨往者也」。司馬彪曰：「獨往，任自然，不復顧世」』，又莊子胠篋篇釋文：『淮南子曰：「萇弘鈹裂而死」。司馬云：「肔，剔也。萇弘，周靈王賢臣也」』。文廷式據之列司馬彪淮南注于補晉書藝文志。今案「山谷之人」云云，又見于李善注文選謝靈運入華子岡是麻源第三谷詩、又江文通雜體詩（效許徵君）、又任彥昇齊竟陵文宣王行狀、趙次公注東坡自仙遊回至黑水見居民姚氏山亭高絕可愛復憇其上詩（王狀元集註九）、任淵注陳后山晚望詩（卷六），並作「淮南王莊子略要」，然則歸去來辭所引，「淮南」下奪「王莊」二字，「略要」二字又誤到。李善自引淮南王莊子略要，非引淮南子要略篇也。經典釋文敘錄云：「漢書藝文志莊子五十二篇，卽司馬彪、孟氏所注是也」。彪注五十二篇，（內篇七，外篇二十八，襍篇十四，解說三，爲音三卷。）其內、外、雜篇凡四十有九，郭象作注，媘合刪併為三十三篇，今本是矣。其解說三篇，則所謂淮南王莊子略要者，疑卽在其中，特亦為子玄刊落，遂日呈式微。崇賢注選，猶逮見之，偶事甄采，幸留一斑。後人不察，誤以歸去來辭注引文為淮南，引司馬為淮南注，于是趙次公注東坡詩（王狀元集註卷十六）、史容注山谷詩（外集十三）、韻府羣玉（二十二養）遂直引作淮南子矣。文選張景陽七命注又引淮南王莊子后解曰：「庚市子，聖人無慾者也。人有爭財相鬬者，庚市子毀玉於其間而鬬者止」。此亦當在解說三篇之中，典籍不具，莫能徵之矣。（日人南山春樹有淮南王莊子略要莊子后解考。）

兩唐志、通志又有淮南鴻烈音二卷，四庫提要云：「舊唐志有何誘鴻烈音一卷，（大成案當云二卷。）言鴻烈之音也」，莊逵吉（淮南敍）云：「唐書經籍志又有淮南鴻烈音二卷，何誘撰。新唐書藝文志鴻烈音亦題高誘撰。高時無切音之學，鴻烈音應如劉煦云何誘，不得更稱高誘。歐陽不精考古，以名字相涉而亂之。如徐堅初學記、李善文選注、李昉太平御覽引淮南，或並有翻語，卽其書也。高則已自言為之注解，並舉音讀矣，寧得于本注之外，別有撰作哉」。島田翰氏（古文舊書考）不以莊說為是，輒加糾駁，其言曰：「舊唐書之存於今者，惟明嘉靖聞人詮本最古。今檢其書，正作高誘，不可何誘。且歐公在宋，當時其書猶存，尙當逮見之，而曰高誘，則作高誘者是也。提要、莊氏皆見萬歷刻粗本，誤高作何，坿會之耳，不得執此以譏歐公矣。但初學記、文選善注及御覽引淮南，間載翻語切音，恐是隋、唐人依高氏音讀改作翻語切音也，故尚題誘名，但今不傳耳」。竊以為劉昫之書，初亦當作何誘，故萬歷俗本相沿不改。歐公見淮南有高誘注，高誘之名，耳孰能詳，而何誘無聞，遂訂為高誘。聞人詮誤與歐公同，或竟依歐書改，亦未可知。蓋何誘改作高誘，其事易而必行；高誘無緣譌作何誘，一也。高注音讀，坿當句之下，檢閱甚便。據高音改作翻語，別自單行，尋檢甚不便，二也。類書所引，不盡與高音相合，且所引閒有直音，不皆翻語，三也。斯三者，島田氏之說之所以爲非是也。依理言之，必是隋、唐去東京日遠，語音漸有變異，時人求高音而弗能盡合，因別譔是書。莊氏以劉書爲斷，其言是也。

淮南舊本，卷子本唯餘一卷。其完本者，有二十八卷本及二十一卷本二大統系，化身雖曰無數，濫觴實止二宗，近人論之已詳，玆但撮其大要。

（一）二十八卷本

淮南鴻烈解二十八卷　正統道臧本　涵芬樓景印本　藝文印書館景印本

經摺本，半葉五行，行十七字，注雙行，行亦十七字。道臧之輯，肇始于唐，成事于宋，刋刻于元。至元十八年詔焚道經，平陽刻本，隻字無遺。今傳道臧有明正統、萬曆二本。民國十二年，康長素、張季直借北京白雲觀臧正統臧（正統十年十一月十一日雕。）交涵芬樓重印，道臧面目，大顯于世。王念孫（淮南襍志二十二）云：「余未得見宋本，所見諸本中，唯道藏本爲優」。案王氏所見，實爲道臧輯要，非眞臧也。（見劉殿爵讀淮南鴻烈解校記。）其所謂優者，謂多存舊本面目，少所更動耳。就其譌字誤文而言，亦殊不少。淸儒治淮南，多終厥身未見臧本者，集解、集證二本于此亦未見也。余校淮南，實取以爲底本。

淮南鴻烈解二十八卷　萬曆葉近山刻本

半葉十二行，行二十六字。卷耑題「太尉祭酒臣許愼輯」，前有「萬曆辛巳孟春葉氏近山梓行」碑牌。是本雖出道臧，而譌奪極多，注亦刪削不完。此本余未之見，莊本校語閒有徵引，余从孔繼涵校本所引過錄。又有葉林宗本，見呂氏春秋畢沅校語引，不知與此是一是二。

淮南鴻烈解二十八卷　萬曆劉氏安正堂刻本

半葉十行，行二十一字。序後有「太歲癸巳孟夏安正堂重刋行」牌記。第一至六卷爲禮字，第七至十二卷爲樂字，第三至十四卷爲射字，第十五至十七卷爲御字，十八至二十四卷爲書字，二十五至二十八卷爲數字。惠棟云：「淮南子舊刻編禮樂射御書數者最佳，似是元刻」，實誤。此本亦翻自道臧。

淮南鴻烈解二十八卷　明王元賓刻本

半葉十行，行二十一字。「太尉祭酒許愼記上」下有「蕃王元賓校梓」六字。亦有禮樂射御書數字樣。豈卽出于安正堂本與。

淮南鴻烈解二十八卷　道臧輯要本

半葉十行，行二十四字。嘉慶時蔣元庭依正統臧翻刻。在昔道臧難見，此本較通行。

淮南鴻烈解二十八卷　重刻道臧輯要本　華文書局景印本

光緒三十二年成都二仙菴校刻，頗有校改。吳氏檢齋作淮南舊注校理，嘗取是本校莊本。

淮南鴻烈二十八卷　弘治王溥校刻本

半葉九行，行十七字。前題「漢太尉祭酒許愼記上，後學劉績補注，後學王溥較刋」。書末有弘治辛酉蘆泉劉績題識。此卽昔人所稱劉績本也。黃丕烈（百宋一廛書錄）云：「劉績翻道藏本不如宋刻」，吳則虞以爲：「此佞宋者之言，不足爲據。此書祖本，蓋別一宋刻，非出自道藏。注文佳勝，不但藏本不能及，卽北宋小字本亦所未逮。劉氏補注亦頗淵雅，與明人蹈虛逞肊者不同」。余以劉本與臧本詳加對勘，知其塙出臧本無疑。至其異于臧本者，皆劉氏所校改。改之而是者固多，改之而非者亦不少。劉殿爵氏嘗論吳氏之謬云：『劉績補注後記云：「右淮南一書，乃全取文子而分析其言，雜以呂氏春秋、莊、列、鄧析、愼子、山海經、爾雅諸書。暇中據他書補數千字，改正數百字，删去百字，其疑者仍存」，止謂據他書，並未云據別本，而他書正指上列文子等各書，皆原書具在，可以覆案，絕不可見其佳勝處，卽斷其祖本必爲別一宋刻。此其一也。書傳中遇各本謬誤難通而一本獨文從字順者，或數本均可通而一本與已意相合者，校者每爲所蔽囿以爲必據善本，此乃校勘學上之大忌。凡底本不明而改訂時又不明擧所據者，卽有佳勝處，亦須有所保留，不可輕易接受。西方校勘學有摻雜本之名，卽指此種板本而言。此其二也。誤文不可輕視，蓋誤文往往較誤改爲可貴。誤改爲有意之失，改時務求文義可通。唯其可通，故難察其誤；且一經竄改，致誤之由，往往無復可尋之迹。誤文多屬無心之失，致誤之由，往往顯而易見。西方校勘學有一顚撲不破之原則曰：「異文之中以難通者爲可貴」，卽指此理。此其三也』，其說甚是。鄭君良樹爲吳說所蔽，誤信劉本塙出別一宋本，迺譔劉績本淮南子斠記一文以證明之，更大誤也。余別有劉本淮南子出于臧本考以駁正之。平情而論，劉氏補注殊多可采，天文、地形二篇尤見學詣，至其以太平御覽校改本文，亦無可厚非，惠氏定宇（見百宋一廛書錄）、沈氏子培（見藝風藏書記二）頗稱其善，蓋亦可以當之。王氏懷祖稱其次於臧本，是也。日本內閣文庫謂劉氏補注有朝鮮活字本，（末闕題識。）未見。莫伯驥（五十萬卷樓藏書目錄初編十）又謂此本二十卷，且斥爲俗本不足存，未詳其故。

淮南鴻烈解二十八卷　弘治黃焯重刻王溥本

半葉十行，行十八字。前題「漢許愼記上，江夏劉績補註，延平黃焯校刋」。雖重刋王溥本，亦閒有異同。

淮南子二十八卷　嘉靖王鎣范慶刻本　傅霖修補本　甘來學修補本

半葉九行，行十七字。前題「漢太尉祭酒臣許愼記上，明後學閩中王鎣、壽春范慶校正」。嘉靖九年刻於壽州，迺據王溥本重刻而全刪注文者。

淮南子二十八卷　嘉靖吳仲刻本

半葉十行，行十九字。卷耑題「漢劉向校定，許愼記上，明毘陵後學吳仲校刋」，蓋據黃焯本而刪其注文者。

淮南鴻烈解二十八卷　萬曆朱東光刻中都四子本　中立四子集本

半葉十行，行二十一字。卷耑題「漢汝南許愼記上，涿郡高誘注釋，明臨川朱東光輯訂，寧陽張登雲參補，休寧吳子玉繙校」。四庫提要（子部雜家類存目十一）云：「朱東光分巡淮徐道，以老子在亳，莊子在濠梁，管子在潁，淮南子在壽春，皆中都所轄地，因與鳳陽府知府張雲登（大成案當作登雲。）裒而刋之。老子二卷，用河上公註，莊子十卷，用郭象註，管子二十四卷，用房玄齡註及劉績增註，淮南子二十六卷，（大成案六當爲八）用高誘註」。蓋壽州先有王鎣本，張登雲攀龍病其無注，向郭子章相奎假得所謂高注本者，進之朱東光，朱爲裁訂，以授梓人。吳則虞謂所謂高注本者，不知其何時刻本。余考其祖本卽王溥本也：正文最與王本爲近，一也。卷耑「許愼記上，高誘注釋」二名並列，卽本於劉績題識，（見前引）二也。原道篇有以劉氏補注誤入高注者，三也。是本於注文之後，亦偶有補注，提要斥其有類續貂，謂爲「書帕本之最下」，未必然也。中都四子刻成，一時風行，坊肆又有所謂中立四子集者，則管、韓、淮南、鹽鐵論已。板式一仿中都四子，致後人每混而一之。中立本楮墨精好，在有明諸本中爲上選。洪武三年，改中立府定爲中都府，七年改爲鳳陽府，故一稱中都，一稱中立矣。

鼎鐫注釋淮南鴻烈解二十八卷　明劉蓮台小字本

半葉十二行，行二十五字。前錄茅一桂序，又有劉氏刋首語曰：「坊刻者註釋未備，字眼謬落。予往苦於思索，故參以經傳道家之言，比方其事，增補註釋，訂其字眼」云云。而書中譌字誤文，開卷卽是，奪文錯簡，動逾數百，刋印之劣，在淮南諸本中，直可謂之弟一。（島田翰、倉石武四郎皆誤執此本爲茅一桂本。）

（二）二十一卷本

淮南鴻烈解二十一卷　北宋小字本　金友梅景鈔本　劉泖生景鈔本　四部叢刋景劉鈔本　藝文印書館景印本

半葉十二行，行大字二十一、二字，小字二十三、四、五字不等。首高誘叙，卷耑題「淮南鴻烈解卷第幾，（唯卷十題淮南鴻烈閒詁第十，卷二十一題淮南鴻烈要略閒詁第二十一。）太尉祭酒臣許慎記上」。書中匡、朗、敬、鏡、殷、恆、貞、徵諸字皆闕末筆，當爲北宋仁宗時刊本。原本爲曹楝亭舊物，展轉歸於黃蕘圃、汪閬源，咸豐之元，歸楊氏海源閣，後入大連圖書館，今不知何在矣。顧千里有景鈔本，並取以校莊刻。陳碩甫倩金友梅景鈔一部寄王懷祖，四部叢刊本則又劉泖生就金本景鈔者也，藝文館又據涵芬樓本景印。（書中偶有配補，蓋宋本已有闕葉，詳顧千里校本。）顧千里（思適齋集十五）謂爲當日最善之本，遠出臧本之上。顧書中誤文俗字充斥，披沙揀金，是在讀者。其書與臧本綦近，其爲臧本之所自出與，抑二者同出一原與，則莫能定之矣。古本淮南，是本之外，其見於箸錄者，滂喜齋宋元本書目有宋板淮南子十六本，季滄葦書目宋元雜板書有淮南子二十一卷，帶經堂書目有元板淮南子二十一卷。

淮南鴻烈解二十一卷　萬曆溫博茅一桂刻本

半葉九行，行十九字。卷耑題「漢河東高誘注，明西吳溫博、茅一桂訂」。蓋出於臧本而略有校改，（吳則虞謂出別一宋本，眞大誤也。）差爲近古，惜注多刪削。又增直音，或妄增注文，（如時則篇竟取呂氏春秋高注及月令孔疏增入注中。）可謂巨謬。此本頗爲當時所重，故翻刻本至多，中央圖書館所臧即有三種不同之本，行款如一，而文字微有異同。

淮南鴻烈解二十一卷　萬曆汪一鸞刻本

行款同茅本。卷齋題「漢淮南王劉安著，漢河東高誘註，明新安汪一鸞訂」。蓋翻自茅本者，萬曆十八年刊。

淮南鴻烈解二十一卷　萬曆張象賢本

此卽汪本也。剜去卷耑題銜「新安汪一鸞」，而易之以「姑蘇張象賢」。卷首增入史記淮南王傳。此板後歸顧氏，故後印本副頁後又有「吳郡顧氏藏板」碑牌。

淮南鴻烈解二十一卷　萬曆張維誠本

此亦汪本也。以「吳郡張維誠」取代汪名而已。萬曆二十二年刊。

淮南鴻烈解二十一卷　萬曆茅坤批評本　日本翻刻本

半葉九行，行十九字。卷耑題「漢河東高誘注，歸安鹿門茅坤批評」。茅坤就其從子一桂刻本翻刻。書眉有坤及張賓王評語，每卷卷尾亦錄張評。此本風行不下一桂，翻刻更多，且有東瀛翻本。日本有寬文四年鵜飼信之本，寬政七年宇野成重校標注本，又有寶曆七年本。

淮南鴻烈解二十一卷　明刊白文本

半葉九行，行二十字。翻刻茅坤本而删其注文與評語，並高誘叙亦不存。

淮南鴻烈解二十一卷　明張烒如集評本　重刻本

半葉九行，行二十字。據茅坤本而注文復有删節。有茅坤、袁宏道、張榜三家評語。重刻本評語略少。

淮南鴻烈解二十一卷　廣漢魏叢書本　增訂漢魏叢書本　紅杏山房本　三餘堂本　叙府本　子餘本　大

通書局石印本

半葉九行，行二十字。卷耑題「漢淮南王劉安著，宜春黃錫禧校」。蓋以張烒如本爲底本，而删其集評。頗補入音讀及注文，皆不知所據。

淮南鴻烈解二十一卷　汪氏述古山莊本

巾箱本。半葉十行，行二十字。亦出於張烒如本。無評語，注文删節更多。

淮南鴻烈解二十一卷　明閔齊伋朱墨套印本

半葉九行，行二十字。無注。書眉及篇末咸綴評語。紙墨均佳，而斷句多誤。書林清話（卷八顏色套印書始於明季盛於清道咸以後條）謂明啓、禎閒淩濛初、瀛初兄弟刻有淮南子，墨印朱批，字頗流動云。未見其本，姑坿於此。

淮南子二十一卷　明吳勉學刻本　黃之寀重印本

半葉九行，行十八字。無注。在二十子內。卷耑題「漢劉向校定，明新安吳勉學校正」。頗與王溥、王鎣爲近。後黃之寀取其板片，刋去「吳勉學」，代之以「黃之寀」。

淮南鴻烈解二十一卷　明刋花口九行本

半葉九行，行二十字。注文同。高叙之外，復有淮南總評，集楊雄、劉勰、劉知幾、晁公武、高似孫、陳振孫、黃震、孫鑛諸家評論。書眉亦有批語，注文節略頗多。

淮南子二十一卷　文淵閣四庫全書本　摛藻堂四庫全書薈要本

半葉八行，行二十一字，注雙行，行亦二十一字。今並臧故宮博物院。

淮南子二十一卷　莊逵吉刻本　聚文堂本　二十五子本

半葉十一行，行二十一字，注雙行，行亦二十一字。逵吉字伯鴻，武進人。父炘，官至邠州知州，爲畢沅門人。畢沅呂氏春秋新校正序：「若淮南王書，則及門莊知縣炘，已取道藏足本，刋於西安」。逵吉亦以詞章受知於畢沅、王昶，以考據之學與錢坫、洪亮吉、孫星衍相周旋。嘉慶十八年，先父而逝。所刻淮南子，取錢坫校道藏本，爲之疏通旁證，正其譌舛，並取錢、孫及盧文弨、江聲、程敦諸家校語，於乾隆五十三年三月刻于咸寧官舍。然莊氏于校讎之業，初非專門，且榛莽哉辟，荆棘滿涂，未臻大雅，原不足深責。迺黃丕烈、王念孫、顧廣圻諸氏大張撻伐，攻之弗遺餘力。黃氏百宋一廛賦注斥之爲「庸妄人」，顧氏手校本跋謂其「全無一是」，王氏淮南雜志謂其「未曉文義而輒行刪改，妄生異說」。近人吳則虞更桀其過，以爲大耑有五：「一曰底本不明也。莊氏自稱以道藏本爲底本，今案大名題銜分篇分卷，無一同於藏本，正文注文有藏本不誤而此本獨誤者，幾不勝枚舉。所云以道藏本爲底本者，不過取錢坫道藏校本，略有訂正耳。二曰誤從俗本。淮南舊本，莊氏見者甚稀，其所取校，似僅據茅本、張烒如諸本，是何異問道於盲，問墮於溺也！三曰注文與正文間隔。宋本、藏本亦有注文在前，正文居後者，然莊本陵躐尤甚。四曰引類書之不備。莊氏於唐、宋類書，僅舉御覽一種，御覽引淮南之文，無慮千則，莊氏既未逐條細校，引書又不出卷部，案語復失之簡率。五曰校字疏失，更僕難數」。鄭君良樹謂其過尚不止此，更有三耑：「六曰改今從古，七曰妄言曲說，八曰刪省注文」。竊以爲諸賢之說固是，然如吳、鄭所棨八耑，其確中莊本之病者，唯注文與正文閒隔，校字疎失二者而已。何以明之？莊自敍曰：『歲甲辰，逵吉讀道藏於南山之說經臺，覽淮南內篇之注，病其爲後人所刪改，大成案莊以御覽所引知之。質之錢別駕坫，別駕曰：「道書中亦非全本，然較之流俗所行者多十之五六」。爰搯其篋笥以示逵吉。逵吉因是校其同異，正其譌舛，樂得而刻之。蓋卽別駕所校道書中本也』。是莊氏自言所據爲錢校道書中本，不謂以道臧爲底本也，其意顯白，本無可疑。而自黃蕘圃已下，或斥之爲竄改道臧也，或斥之爲不合道臧也，誠可謂心有攸敝而不見丘山者矣。莊氏底本之失，唯失在不取南山之道臧而取錢本耳。改今从古，刪婄注文，蓋亦沿錢校之本。其時宋本未出，行于世者，皆晚明俗本，就中可取者，王溥、茅一桂、朱東光三數本而已。劉本莊氏未見，茅、朱二本莊氏咸嘗取以校過。並見莊氏校語，又有葉本亦然。所謂誤从俗本者，其時自此等俗本之外，更有何本可用也？明人絕不見宋本，展轉翻刻，皆據有明諸本。吳氏于王溥、茅一桂諸本，動謂據別一宋本，眞大謬也。至謂其引類書不備，自係時代使然，取材類書，王氏伯厚啓其耑，清初人猶未大用。迄王懷祖以類書校羣書，然後類書之用大顯于世。以此爲莊氏病，深覺求全大過。亦係莊校有所去取于其閒。其校說之未盡是，緊充其學力之所至而已。以王氏父子之精審，數年之力，校成淮南襍志，見王引之敍顧校淮南子各條。九百餘條之中，其爲後人所糾駁者，無慮數十百事，斯不得以妄言曲說深責莊氏矣。莊氏所校，固不得謂之善本，然在晚明清初繆本充斥之際，得此本出而矯之，亦足以一清學者耳目。不當以一眚掩大德也。抑又有進者，莊氏之校淮南也，嘗據呂氏春秋注及淮南前後注文之相異，曁文選注、藝文類聚、玄應音義、列子釋文、太平御覽引淮南與今本之同異，知今本乃許、高兩家之誤合爲一，又多有奪誤。見莊敍又于繆稱篇云：『此下三篇，標目下皆無

「因以題篇」四字，注又簡略，蓋亦不全者也』。以視王氏之說：「淮南內篇，舊有許氏、高氏注。其存於今者，則高注，非許注也。其自唐以前諸書所引許注，有與今本同者，乃後人取許注附入，非高氏原文也。宋人書中所引淮南注，略與今本同，而謂之許注，則考之未審也」。淮南襍志二十二其識見之高下爲何如也！

淮南子二十一卷　浙江書局二十二子本　經綸堂本　三味書局本

光緒元年，浙江局擬翻刻莊本，陶氏方琦謂莊刻不佳，當景刋宋本，並以臧本正莊本之失。又陶有以宋本、臧本校正莊本六卷，亦欲附入書後。當局者雖韙其言，而議終不行。莊初刻多誤字，後經盧文弨、孫志祖諸人校改，後印本轉佳，浙江局又復重校，故此本遠勝原刻。行款同原刻，而閒有剜改擠接，故字數不盡與原刻同。

淮南鴻烈解二十一卷　崇文書局子書百家本

半葉十二行，行二十四字，白文無注。刻于光緒元年，紙墨粗劣，最爲下駟。汪文臺有校勘記，其子錫蕃舉以示黃陶樓，光緒十一年冬，附于別行本之後。子書百家本則無校記也。

淮南鴻烈解二十一卷　掃葉山房百子全書本　古今文化社景印本

半葉十六行，行三十六字。當出于子書百家本。

淮南鴻烈解經十三卷淮南鴻烈閒詁八卷　唐氏怡蘭堂鈔本

此本于原道等十三篇均題「淮南鴻烈解經」，下題「高氏注」，繆稱等八篇均題「淮南鴻烈閒詁」

，下題「太尉祭酒臣許愼記上」，蓋依蘇魏公序改。陸心源（儀顧堂集二淮南子高許二注考）云：「後有校正淮南子者，於繆稱八篇宜題曰許愼記上，於原道等十三篇宜題曰高誘注。斯乃高、許之功臣矣」，不圖于此本見之。書中每據王石臞、俞曲園諸說改字，亦有據劉氏集解之說校改者，則近二三十年閒之鈔本也。書後附一卷，曰閒詁佚文，即葉輯淮南鴻烈閒詁也。（詳後）怡蘭堂者，華陽唐鴻學臧書之所，鴻學即王壬秋日記所稱唐帽頂之幼子也。

（三）節選本

新刊淮南鴻烈解二十一卷　宋刊本

半葉十行，行十八字，小字同。首行「新刊淮南鴻烈解卷第一」，次行「太尉祭酒臣許愼記上」，卷末有「茶陵後學譚叔端纂校」一行。劉士玠跋云：「淮南止見小字影鈔宋本。此本字畫精雅，紙墨均舊。然各書目均未著錄，似是道家所刊，而譚叔端亦無可考。節去本文約十之四，注每卷刻許愼名。然既不全采許注，亦不全采高注，略存數條而已。至其佳處，與王懷祖先生讀書雜志所引大半相合，其佳可知」。（此跋繆荃蓀爲之代筆，見藝風堂文漫存癸甲稾三）唯藝風藏書續記（卷二）則云：「讀書雜志所記佳字尚存一二處，宋諱缺筆亦少」。似亦坊刻俗本。王文進文祿堂訪書記（卷三）亦嘗箸錄。

淮南子二卷　諸子彙函本

半葉九行，行十八字，注文同。乃歸有光輯評，文震孟參訂。輯原道、覽冥、精神、本經、齊俗、說山、說林七篇，篇內復多刪節，注亦刪削不完。書眉輯楊升庵、孫月峯、吳匏菴、李九我、袁元峰、唐荊川、王陽明、趙栗夫、王鳳洲、陳白沙、茅鹿門、王守溪、楊碧川、歸震川、王槐野、湯義仍、袁石公、張賓王、林對山、吳康齋、張玄超、鄧定宇、羅一峯及蕭漢沖等二十四家批語，卷末復有總評。

淮南鴻烈輯略　明張榜芟輯本

半葉八行，行二十字。每篇摘選數段，書眉及卷末各綴評語。張榜卽賓王之名也。

淮南子片檀　萬曆王祚昌選刻　藍印本

日本尊經閣文庫箸錄。

淮南子四卷　古四家選本

淮南子刪評二卷　明汪明際刪刻本

淮南子二卷

在增訂漢魏六朝別解內。

淮南子三十八則　清童翼駒摘錄手稾本

淮南子一卷　淸任兆麟選輯

外此若羣書治要、意林、讀子隨識等，又諸子綱目、諸子奇賞、諸子品節之類，皆割裂過甚，不具錄。

（四）舊鈔本

淮南鴻烈兵略閒詁第廿

日本荻秋歌卷背古鈔卷子本，自首句至「國無守城矣」止。出自東瀛古寺香爐之下，書體與敦煌卷子略近。趙萬里有校記。舊鈔本淮南，此卷之外，宣和書譜有李後主書淮南子，讀書敏求記有景宋鈔本二十一卷，蕘圃藏書題識有張丑舊臧二十八卷舊鈔細字本，增訂四庫簡目標注管季申有景宋本，莫楚生臧景鈔北宋本二十一卷，古文舊書考有舊鈔本二十一卷，烏絲闌，半葉七行，行二十字，注雙行，行二十一、二、三字不等，與臧本爲近。

至惠士奇手鈔之元板淮南，疑卽據安正堂本。

淮南之學，有明已前，治者無多，成就亦微。乾嘉已降，訓詁考據之學大明，學者治經之餘，亦兼理子學，於是校訂淮南王書者，若惠棟、黃丕烈、顧廣圻、盧文弨、王念孫、錢大昕、錢塘、錢坫、孫志祖等，各有校本，若王念孫、劉台拱、俞樾、陶方琦等，並有專箸，淮南一書，乃稍稍可讀。逮民國十二、三年間，劉文典集解、劉家立集證二書出，裒輯清儒舊說，並坿新校，雖曰瑕瑜互見，不可謂非大有功於淮南也。自是以降，又有吳承仕之專理舊注，楊樹達之解說訓故，汔王先生之斠證成，而奧辭隱誼，一時都出，鈔刊譌繆，盡復舊觀，淮南之學，至是而一大成。玆試就歷來校訂箋釋諸家之書，彙列如次。至於清儒筆記中一鱗一爪，不成全龍者，則無取焉。

淮南子二卷　焦竑注釋

在注釋九子全書內，坿翁正春評林。

淮南存雋　傅山

在霜紅龕全集內。

淮南子注　王夫之

見嘉慶、同治衡陽縣志，嘉慶、光緒湖南通志。

淮南子考證　王太岳等

在四庫全書考證內。

讀淮南子雜志二十二卷　王念孫

懷祖汲古功深，斠讎之學，千古當推弟一。所校淮南，凡九百許事，精博詳贍，得未曾有。淮南之書之賴以可讀者，懷祖之功當居其半。且王氏之校淮南，所見善本，初不過一劉績本，（王引之致書黄丕烈稱：「窮搜力索，不過劉績本而已」。）晚乃得見道臧輯要（王氏誤以爲即道臧本。），而其所勘定，乃多與後出之唐本玉篇、玉燭寶典、舊鈔兵略閒詁卷子及宋本冥契闇合。若王氏者，可眞謂之人傑也已。然王氏過信類書，至有文本不誤，而誤从類書以校改反因以致誤者，此亦通人之蔽也。書中亦偶有公子引之之說，淩厲鋒銳，大與乃翁異趣，然而允當一也。淮南之書二十一篇，高郵所校，篇爲一卷，其第二十二卷則統論全書致誤之繇，清儒論斠讎之書，曲園古書疑義舉例之外，唯此而已。懷祖別有校本，批校於中立四子本之上，校語有與雜志之說不盡相合者。

淮南子正誤十二卷　陳昌齊

此觀樓讀書時信手札記之作，有校，有考，有辨音。中有引王氏念孫之說，而王氏雜志亦頗采其說。在賜書堂集內。

校淮南子　顧廣圻

王氏淮南雜志二十二卷後，又有補一卷，中有顧校二十餘條，又宋本之未誤者及宋本之異者亦各三、四十條。蓋懷祖之校淮南，初未見宋本，而黃丕烈臧有北宋小字本，顧氏先嘗以臧本校莊本，繼又將宋本景鈔一部，據以再校。今中央圖書館善本書目箸錄有顧校淮南子，存卷六至十一，又十七至二十一，凡十一卷，朱筆校於莊本上。卷末有跋四則：「武進刋本大成案即莊本實未見道藏本，所見者校道藏本耳，故其稱說全無一是。王懷祖先生以所著讀書雜志內淮南一種見贈，於藏本、劉績本及此本是非，洞若觀火矣」，又「松崖先生有手校本，向在朱奐文游家，今歸黃蕘圃。蕘圃有惜書癖，余於家兄抱沖別借得朱族子傳校本，略一展讀，則由傳校而字誤，殆不勝其多。姑略著其一二於下方，異日當向蕘圃作懷餠請也。顧廣圻記」。許在衡臨校本作「乾隆甲寅三月又記」。又：「庚辰七月，借得宋槧本，細勘一過，較道藏本爲勝，劉績本以下無論也。後世得此者尚知而寶之。十月七日覆校畢記。思適居士」。又：「宋本誤字亦添記於此，以備參考。頗思得好事人重刋，未知緣法何如耳」。卷六前有程登雲題記，略云：「此淮南鴻烈解二十一卷，原缺其半，乃鄉先輩顧千里先生手校本也，爲故友張竹君所藏。二十年前曾借讀之，其中仕處，足正近刻之謬實多。壬辰秋七月二十八日，書友以竹君舊藏此殘本求售。蓋竹君作古，書乃分散，兒孫有不愛此，並藉先世寶藏聲名，挾册索重値獲利，故肯贈人。（高先生仲華謂肯上當奪不字。）予亦重是故友物，勉力購之」云云。此本所校極精，並記宋本葉數行數，下方箸惠棟校語。然竊疑此本非顧手校，蓋嘗見顧氏所校它書，筆用羊毫，字皆溫婉，又於臺先生靜農許見顧手書絕句，書亦相類。而此本系用狼毫，筆劃飛動，大是異趣。北京圖書館亦藏一本，書未見，見其書景，顧跋赫然與所校諸書字體相同。然則中央圖書館藏本當系過錄之本，非原本矣。所闕十卷，余別據許在衡臨校本過錄。王氏淮南雜志附刻諸條，皆見其中，而爲雜志所未收者尚多。鐵琴銅劍樓藏書志箸錄。

淮南子補校一卷　劉台拱

在劉端臨先生遺書中，與王氏雜志多闇合，集證本收之。

讀淮南子雜記　王紹蘭

在讀書雜記內。

讀淮南子叢錄　洪頤煊

在讀書叢錄內。

淮南書校正六卷　朱駿聲

公子孔彰跋說文通訓定聲，謂稾本已佚。又有淮南子箇端記，當卽校正稾所從出。

淮南子校勘記　汪文臺

附崇文書局刻淮南後。有黃彭年跋云：「南士先生手校書數十種，十三經校勘記識語已刊行。其子錫蕃繕所校淮南子校語，出以質予。察所校各本，有未經錄出者，尚居十之三四，其已錄有鄂本已改不必錄者，有與所引之書不同或據別刻者，有擧一書不全引者，有見數書不全引者，又閒有引書不注書名，采各家校語不注何人，引御覽或稱第幾卷，或只稱御覽，引文子或稱某篇，或只稱文子，引藝文類聚或只稱類聚，引王懷祖、王伯申、劉績、陳觀樓諸校本，或稱名，或稱字，或稱姓。先生原錄莊氏校刊本上，是未成之藁。章大令壽康覆校，體例亦未畫一。因屬夏生葆彝重校排寫，存崇文書局，刊附鄂本之後」。亦見陶樓文鈔十。

讀淮南子　蔣超伯

在南漘楛語內。

讀淮南子錄　曾國藩

在求闕齋讀書錄內。文正以中興名臣，一身係天下安危，雖軍書旁午，而讀書不輟。此蓋其讀書隨手劄記之作，本無意於箸書，矧古文名家，考訂非其所長，集解引其二三條，菁華盡于是矣。

淮南內篇平議四卷　俞樾

曲園校書，功力不逮王懷祖，而好逞異說，然所校亦自有極精審者，謂之大醇而小疵也可。

淮南子點勘二十一卷　吳汝綸

在羣書點勘內。以古文家評識諸子，非主考訂。

淮南訓義疏補　李明哲

無刻本，集證頗有采錄。

淮南子札迻　孫詒讓

仲頌樸學後勁，精博直可方駕王懷祖。畢生心力，盡在周禮正義、墨子閒詁二書。札迻所校，箸語恨少。

校淮南子一卷　于鬯

在香草續校書內。中多引姚藝諳之語，姚書惜未之見。

淮南參正二十四卷　陶方琦

孝邈越縵堂高弟，學有本原，漢孳室所箸書目，凡百九種，二百十四卷，又八種無卷數。然實多未成。其關於淮南者，淮南參正二十四卷，（附淮南莊本校勘記六卷。）淮南許注異同詁四卷，又補遺一卷，續補一卷，許注存疑四卷，淮南許氏閒詁二十一卷，淮南舊音一卷。唯異同詁有刻本，文鈔中亦有關於淮南者數篇。

讀淮南子札記二卷　陶鴻慶

初刊于制言半月刊二十七期，後收入讀諸子札記。書前有章氏太炎序，稱其知所趣向。劉師培左盦外集十七有序，刻本未坿，余為補入。小石校書，略近俞蔭甫，借曰多臆說，要非學有根柢者莫能辦。

讀淮南子揚搉一卷　王仁俊

自序云：『讀淮南子揚搉何爲而名也？昔國語韋序曰：「凡所發正三百七事」，汪君遠孫遂有國語發正之作。本書俶眞訓「物豈可謂無大揚搉乎」，文選蜀都賦、江賦注引許注：「揚搉，粗略也」。漢書叙傳有「揚搉古今」語。揚搉蓋古語，猶之商搉，文選吳趨行注引許說：「商搉，麤略也」。仁俊自幼卽憙鴻烈之學，嘗按日分卷抽引其緒，丹黃細書，書眉爲溢。旣專精輯補許注異同詁，涉獵所及，遂有此作。不敢云著述，若曰得淮南之大略耳。光緒十九年癸巳夏六月初七日夜識於廣州電局之寓齋』。書未刻。

淮南子正謬　沈湛鈞

在知非齋集內，光緒三十一年排印。

淮南鴻烈集解二十一卷　劉文典

叔雅此書，刻于民國十二年，胡氏適之亟稱之，見胡序然賓逾其實，疵謬實多。楊樹達嘗糾其失，讀劉文典君淮南鴻烈集解，太平洋四卷六號。凡有六耑：一曰所據本之失擇。莊非佳刻，不如道臧。二曰本文之失校。三曰高注之失校。四曰成說之失勘與失引。前人所校，容有疏失，集解但引其成說，而未細加檢校。又於劉台拱、顧千里諸說咸未采入。五曰體裁之失，其一爲隔斷注文，其二爲引成說前後倒置，其三爲交代不清。六曰標題之失。劉書於第一卷標題「淮南鴻烈集解」，次行上截題銜「漢涿郡高誘注」，下截題銜「合肥劉文典集解」。第二卷以下又無此行。按古以集解名書者，有晉范寧之穀梁傳集解，宋裴駰之史記集解等。然范書標題，但題「春秋穀梁傳卷幾，晉范寧集解」，史記亦但題「史記卷幾，宋中郎外兵曹參軍裴駰集解」，皆不於原書名下標集解之名。王先謙氏之荀子集解亦首題「荀子卷之幾」，次題「唐登仕郎守大理評事楊倞注」，再次題「長沙王先謙集解」。劉氏既題「高誘注」一行，宜取此式。如必於大題標集解之名，則「漢涿郡高誘注」一行卽不當有。又大題既標集解，則著者姓名之下，不必複出集解字，但題籍貫姓名，或題「某地某人著」可矣云云。楊氏爲此文時，尙未細讀劉書，逮其爲證聞，則於劉書之失，糾駁至多。愚意集解之失，楊氏所揭六耑之外，亦尙有可得而言者：王氏雜志之作，爲條目式之整理，故凡一字之誤爲它字，本書中不止一見者，皆並列首見之句之下，它篇卽不復出。如原道篇「旋縣而不可究」，主術篇「其於以御兵刄縣矣」，王意二縣字並當爲緜，故主術一條卽坿原道一條之下，而主術篇中不復別出。其致誤之由相同者亦然，如原道篇「鶩怳忽」句下，坿「與萬物終始」，俶眞篇「休乎宇內」，天文篇「決刑罰」，精神篇「是故視珍寶珠玉猶石礫也」，齊俗篇「古者民童蒙不知東西」，兵略篇「不可度量也」，說林篇「無鄉之社易爲黍肉」，人閒篇「故蠹啄剖梁柱」。諸句皆以誤到失韵相類次，當篇中皆不復出。劉書既爲集解，與王書體例自異，所附諸句，自以附入當篇爲宜。乃竟囫圇引稟，一體照錄，使讀之者翻檢爲勞，此一失也。劉書於唐、宋古注類書，自選注汔於御覽，幾不問所引是之與非，皆援引於當句之下，致于誤文充斥，閱之生厭。不知古注類書引文，或有不明文義而改竄，或有遷就類目而增刪，或有節引，或有誤引，亦不能無傳刻之失誤。校書本爲校正本書之誤文，若不問是非，悉數徵引，是使不誤之文轉生糾葛，不唯浪費筆墨，抑且遺誤後學。此又一失也。方南海孔氏之校梓北堂書鈔，陶方琦之異同詁雖已刻成，（陶書刻丁光緒七年，孔書刻丁十四年。）而孔氏未見，故遇書鈔中引有許注而爲孫馮翼輯本失收者，皆箸于校語。集解既錄陶書，（廑錄初刻四卷：補遺續補並失收。）而又每據孔氏校書鈔語謂此條孫氏輯本失收，不悟集解中初未收孫氏之書也。此又一失也。又集解據莊刻（浙局本）爲底本，校語中唯一二條偶及景宋本，外此明清板本，皆未對勘，此又一失也。錢塘天文訓補注，劉氏既見其書，不逐條附入當句之下，而以之別爲一册，附于集解之後，有忝集解之名，此又一失也。（以余觀之，劉氏撰集解時，尙未得見錢書，比植板已就，始得見之，不及追改，遂不得不坿書後與。）雖然，清儒舊說，散見羣書中，得劉氏爲之裒輯，作總帳式之整理，功亦未可沒也。至校之未盡善，亦由少作使然。劉氏別有三餘札記，乃中歲用功之作，大勝集解，亦可以覘其學之日進無已矣。

淮南集證二十一卷　劉家立

集證之刻，後集解一年，取材不逮集解，然亦有五六種爲集解失收者。書內每據王氏雜志，俞氏平議改字，引諸家校語亦多節略。其自爲說者不多，而非多于是。楊氏樹達（淮南子證聞一）偁其書「雖閒有一二可取處，然其校勘立說多疏，往往不通句讀，妄爲改乙，淺陋殊甚」，可謂定評。甚且有在高注十三篇中，前人校語有引及類書所引許注者，卽據以删去今本原有高注而代之以許注者，如此甚多。校書而書亡，于集證見之矣。熊譯元謂其書可作淮南讀本（見卷首坿校正淮南內篇札記。）闞耴翁之意，亦復如此。意則嫩矣，其奈力有不足何！雖然，若王氏雜志一條涵數事者並分析各歸當篇爲集解所未嘗爲者，此書有之矣，雜志補一卷爲集解失收者，此書收之矣，異同詁補遺續補各一卷集解亦失收者，此書亦收之矣。此其脩于集解者也。核實言之，此劉不如彼劉。

淮南子管見一卷　金其源

在讀書管見內。亘山于書義，務使可通，往往展轉至八九義始可通者。借曰古昔字少，多用借字，恐亦無通借一至于此者。

淮南子選注　沈德鴻

在學生國學叢書內。注依劉氏集解。蓋爲學生入門之用，非主考訂。

淮南子斠補一卷　呂傳元

呂氏九江人，爲陳祺壽弟子，陳則曲園先生門人也。其斠淮南，所引類書，皆據前人校語中引及者。間有補正前人之處，亦了了耳。

淮南子札記　陳準

有序，載圖書館學季刊三卷三期。書似未刊。

淮南子評註　張純一

在諸子菁華錄內。

讀淮南子記　王瀣

在王冬飲先生遺稿內。

淮南集解補正一卷　胡懷琛

在樸學齋叢書內。

淮南校文　向承周

稾廑數十則，中有陳季皋說數條。向字宗魯，巴縣人。劬學不盡天年，三十年秋逝於峨嵋。

淮南一得　譚戒甫

見中國文化界人物總鑑。

淮南子新證四卷　于省吾

思伯此書，以古文字說故訓，亦瑕瑜互見。在雙劍誃諸子新證內。

淮南子證聞七卷　楊樹達

自序云：「余曩寓舊京，友歙鄉吳承仕檢齋，淳安邵瑞彭次公。檢齋喜治音韻校勘之學，嘗校淮南王書，爲舊注校理三卷，說多精到。而次公亦治淮南。余時雖亦頗讀淮南王書，顧以他有所務，未暇專治，故檢齋書所引余說未能審核也。一九三六年冬，余讀淮南數周，始成此書，頗自喜。高郵王氏校淮南最精，而余於王氏多所糾駁。倭寇難作，余以侍父病先歸長沙，因留鄉里，設教於湖南大學，以淮南書授諸生者三，且教且治，復時時有所增益。自謂精博不逮高郵王君，而意猶欲勝俞蔭甫，其於檢齋，殆欲與抗手矣」。其自負也蓋若此。今案遇夫之於淮南，舊有板本，胥未寓目，所見舊校，集解、集證之外，亦不過舊注校理、三餘札記之等，然與舊說冥契闇合者綦多。蓋其於訓詁、脩辭、古文字、古文法皆臻絕詣，符契昔賢，固所宜然。唯此書訓釋文字者多，勘定誤文者少，斠讎之業，原非所長故也。邵次公書，吳氏檢齋（舊注校理一）亦稱之，其言曰：「邵瑞彭治淮南少後於余。校理既寫定，往視其艸稾，與余說冥符者十得三四。初欲除其複重，合爲一書。繼思余書專理舊注，邵則並及本文；余書專校譌亂，邵則兼疏隱義；其持說相異者又莫能相奪也」。惜邵書終未刊行。次公又有批校本，今並不知所在矣。

淮南子斠證補遺續補　王先生叔岷

先生繼高郵之絕詣，邁往哲而開宗，所斠羣書，蓋數十種。此淮南斠證三種，先刊於臺灣大學文史哲學報，後並收入諸子斠證。淮南王書，自懷祖父子以來，昔賢多有箋校，顧以文字古奧，說理玄深，益以鈔刊之譌舛，許、高之掍亂，若夫落葉，旋掃旋生，後儒不達，妄滋臆說，馴至眞贋雜遝，是非迭乘。淮南之不可讀，誤於傳鈔刊刻者半，誤於校者之誤說亦未始不居其半也。先生此書，發正抉隱，批施治孥，障百川而東之，使一歸於正焉。斠證上下卷，分刻於四十二、三年冬，補遺刻於四十五年春，續補刻於四十七年夏。今去續補之刻成，又十餘年矣，先生時時續有增訂。余治淮南，嘗求觀未刊稾，因以錄副。蛾子時術，繼志有心，犇軼在前，瞠乎其後矣。

讀淮南鴻烈解校記　劉殿爵

劉氏以哲學史家名海外，校勘雖非專詣，亦可補前人之說。

淮南子札迻　阮廷焯

丙齋余同門友，踔厲風發，卓然有成，所校書亦十餘種。淮南非所專治，故所校無多。

淮南子斠理七卷　鄭良樹

鄭君亦余同門友也，斠理不乏卓識。惜所據古注類書，皆出南宋已下，而於較早之文選注、兩漢書注、北堂書鈔、藝文類聚、初學記、白帖、太平御覽、事類賦諸書，反弃而弗顧，幾以諸書前人用之已多而然與！書後附錄論文三篇，曰：淮南子傳本知見記，曰：淮南子注校諸家述評，曰：劉績本淮南子斠記。

淮南子校釋　于大成

書凡五十萬言，一得之愚，未敢自信，補苴前人，或亦不無可採。

淮南子今釋語譯

近人有中國學術名著今釋語譯一書，收先秦至民初之書凡數十家，其淮南子節錄原道、天文、精神、氾論、要略五篇之文，注既了無勝義，譯尤詞不能達，謂之無知妄作也可。

淮南子今注今譯　于大成

中華文化復興委員會，與國立編譯館合作，編撰古籍今注今譯，其淮南一種，屬之大成，學殖未竺，求信已難，至達與雅，則余豈敢！

淮南天文訓補注二卷　錢塘

自序云：『天文訓一篇，中有「誘不敏也」之文，其注亦遂簡略。蓋誘於術數未諳，遂不能詳言其義耳。然吾謂三代古術，往往見於周禮、左氏春秋、史記律厤、天官書中，其可以相質證者，賴有此篇。儒者而弗明乎是，卽經史之奧旨何由洞悉而無疑也哉！竊不自揆，推以算數，稽諸載籍，於高氏所未及者，皆詳言之，亦時正其舛謬。書成於己亥之夏，戊申秋復改正數條，遂繕爲定本焉。乾隆五十三年九月九日，嘉定錢塘序』。是此書成於乾隆四十四年，至五十三年復有改正。迄道光八年，陶澍始命門人校對刋行，卽指海所收之本也。同治十三年及光緒三年，湖北崇文書局再次刋行。中央圖書館藏有顧千里鈔本，系借孫氏平津館藏本鈔，淵如校語及補注，別用朱筆。又有錢繹校語，亦經洪頤煊校過。前載翁方綱與錢大昕兩序。（翁序收入復初齋集外文，錢序收入潛研堂文集。案此書謝墉亦有序。）余以集解本與之詳事比勘，文字乃大有出入，其文較集解本爲繁，往往有多至五六百字者。其本當爲溉亭初稾未加改正者。然錢校在嘉慶六年，洪校在十三年，鈔本鈔于十七年，皆在溉亭定稾之後，獨不知淵如藏本鈔于何年耳。

淮南天文訓存疑　羅士琳

三　自識云：「吾鄉王懷祖封君暨其哲嗣伯申少宰，著有讀書雜志若干種，內載淮南子一種，辨正矯譌，誠不刋之論也。而且虛心好問，下及菅蒯，以余習算數書，屬將天文訓篇校其可否。爰舉其中稍涉疑似者凡七條，爲芻蕘之獻。弟恐日久大忘，用是錄而成帙，名之曰存疑，並誌其顚末云。時道光癸未十有一月日南至，小雅羅士琳識」。阮元觀我生室彙稿收入。

淮南朝夕圖解　羅士琳

自識云：「癸未秋八月二十六日，揚州會館秋季祀神禮，凡合郡之寓京都者莫不與焉，時伯申少宰亦在座，屬將是法代爲推算，因作此圖解以呈，附誌於此，以備遺忘。小雅又識」。已上二書，廬有傳鈔本。

淮南天文訓札記二則　金德建

主術訓注　馮大綸

國語日報古今文選二百八十三期。

淮南修務訓補注　唐詠裳

在特健藥齋外編內。

淮南子要略篇釋　方元

在國學別錄內。

淮南釋音　□璟

此書葉景葵舊臧，葉跋（卷盦書跋）云：「此稿自首葉至五十二葉，惜已散失。著者名璟，未著姓。惟眉批及所加簽校，係劉叔俛先生（恭冕）墨蹟，則著者爲同、光閒績學士也。後附校語二葉，因劉氏遺書有淮南子補校，故署曰附校。其人蓋服膺端臨之學者」。

淮南舊音一卷　陶方琦

見漢孳室所著書目，一作淮南音義。

淮南舊注校理三卷校理之餘一卷　吳承仕

自叙云：「淮南注本，傳寫久譌，原道、俶眞、天文、地形、時則、覽冥、精神、本經、主術、氾論、說山、說林、脩務諸篇，有許、高二家錯雜之文，則踳駮益甚，而讀如，讀若之等尤難訓知。前人勤治本文，於訓說未皇厝意也。今觀劉氏集解，於注文沿誤顯白可知者，多未發正。頗以假日從事校讎。莊本既世所行用，集解又因而不革，懼其註誤後學，故今一依莊本，而以異本勘之。復就昔人撰述，下訖筆語短書，凡所徵引，稍有采獲，更以唐、宋類書所錄，參伍比度，辨其然否。至於注家說義有違，則不復彈正也」。吳氏此作，決煩理挐，精博直欲奪高郵之席。蓋其人出于太炎先生之門，於故訓故有所長也。

淮南子高注參正　馬宗霍

疏解文義，批竅道虛，頗能窺見古人立意所在。無刻本。

淮南許注漢語疏　劉盼遂

載國學論叢一卷一號

四庫提要云：「白居易六帖引烏鵲塡河事，大成案見卷三與卷二十九。云出淮南子。而今本無之，則尙有脫文也」。胡玉縉四庫全書總目提要補正子部襍家類一云：「後漢劉瑜、袁紹傳注、初學記二、文選曹植求通親親表及江淹詣建平王上書李善注，並引鄒衍正夏降霜事，爲今本所無，提要未之及」。今案淮南佚文，提要未及者多矣，孫志祖讀書脞錄卷四淮南遺文條略舉數則，亦隨筆劄記，非爲專治。其用力于蒐輯佚文者，始王仁俊之淮南子佚文，（在經籍佚文內）劉文典亦有淮南子逸文之輯。（三餘札記一）所輯並不完。余頗爲補葺，並加考證，顏之曰淮南鴻烈遺文考，若積薪樵，葉纍益多。

若夫專輯許注者，孫氏馮翼越肇其耑，陶氏方琦鬱爲大成，二家之外，尙得數家，列目于次，用見清儒鈎沉之功。

許愼淮南子注　孫馮翼輯

在問經堂叢書內。

許叔重淮南子注　蔣曰豫輯

在蔣侑石遺書內。

淮南子注一卷　黃奭輯

在子史鉤沉內。

淮南許注異同詁四卷補遺一卷續補一卷　陶方琦輯

異同詁四卷，刻于光緒七年，系據唐、宋類書中之引及許注者，詳事斠勘，並加詁解。書成，得見蕭吉五行大義及慧琳大藏音義，又自史記集解、漢書注、通典中輯得如干，彙爲補遺，八年刻成。比及十年，再刻續補，蓋又得見唐本玉篇、玉燭寶典曁希麟續音義，復又輯得如干也。書成而子珍逝矣，蓋畢生盡悴淮南，至死而不倦。異同詁所列許注，皆載籍明引，信而可徵者。至史傳注志類書引淮南舊注，異于高注，而不明指爲許注者，別爲一書，曰許注存疑。亦四卷，未刻。今本淮南中，八篇許注，蘇魏公在宋時已言之，子珍因就此八篇，又刺取舊輯十三篇許注，合爲一書，書依宋本，以還閒詁之眞，其無注者仍載本文，名曰淮南許氏閒詁，二十一卷，亦未刻。余校釋淮南既已，比亦有意事此，漢邈泉下有知，其許我爲知音乎？

淮南許注鉤沉　易順鼎輯

寶瓠齋雜俎、琴志樓叢書並見收入。

淮南鴻烈閒詁二卷　葉德輝輯

煥彬於書罔不讀，湘士雖多，論實學近人應推弟一。顧此書之作，實剽竊陶書。陶氏引書，卷部之誤者十二、三，葉氏咸承其誤。兵略篇「然而兵殆於垂沙」，許注：「垂沙，地名」，陶輯但標史記集解，葉氏實未檢覈原書，以其說楚事，輒標史記楚世家集解，以掩其因襲之迹，不知實見禮書集解也。主術篇「楚莊王好觟冠，楚國效之也」，許注：「觟冠，今力士冠」，於見御覽及事類賦注。藝文類聚衣冠部引有墨子云：「楚莊王鮮冠組纓，絳衣博袍，以治其國」，實不引淮南暨許注。而陶書誤於御覽下、事類賦上竄入「藝文類聚服飾部一」八字。葉書承其誤，標許此注出處，亦有「藝文類聚服飾部」一目。欲蓋彌章，可不謂白圭之玷乎！書凡二卷，刻於光緒二十年，後陶續補之成十年。其益出陶書者，厪蒙求集注、本草圖經、事物紀原之等二三種，所引許注多不足信。

淮南許注異同詁校補　王仁俊輯

淮南許注異同詁三續　王仁俊輯

淮南許注考證　王仁俊輯

石遺室列捍鄭所箸書目，浩瀚無倫，其實多未成之作。此三書但有稿本。異同三詁九卷，其後三卷編次未竟。

淮南王書，牢籠天地，關穿百家，其中徵引周、秦之書而明箸出處，若易，若書，若周書，若詩，若春秋、若國語，若神農書，若黃帝書，若筦子，若老子，若列子，若莊子，若愼子，或一見，或二三見，或數十見。至實用其書而不箸其名者，蓋又不知凡幾。墳籍殘闕，莫能詳徵。爲淮南書注出處者，曾文正公（求闕齋讀書錄）有之，楊氏遇夫（淮南子證聞）有之，島田翰（古文舊書考）亦有之。其專事乎此者，則有麥君文郁之淮南子引用先秦諸子考。然麥君於先秦諸子，實未能盡覽其書，所注出處，半依襍志、平議之所拈出。又限於體例，丙部已外諸書，無得闌入。故淮南出處之未明者猶多。阮君廷焯有淮南子引用先秦佚子考一文，嘗以稿本見示，惜未及錄副。拙書於校釋文字之餘，遇出處之爲前人不及箸明者，亦爲之拈出，它時更欲別爲一文，曰淮南鴻烈出處考，先志於此，冀免遺忘。

榑桑自有唐已還，薰沐於上邦文物，既接其鄰，復同厥文，繇是彼邦學人，治我先人典册者亦至多，其關於淮南者緊如干種。近年以來，歐西亦閒有事此者，余不精西文，媿未能盡讀其書，匱將手邊見有三數種嘗加參考者，亦附於東瀛諸書之後。

淮南子校正一卷　猪飼敬所

標注淮南子二十一卷　宇野成之

淮南子疏證附補遺六巻　岡本保孝
淮南子音讀出典考一巻　岡本保孝
淮南子考二巻　恩田維周
淮南子注考十二巻　久保愛
淮南子考二巻　澁井太室
淮南子考一巻　鈴木文臺
淮南子考　園田雄
淮南子考二巻　永井修
淮南鴻烈解考證二巻　藤川東齋
淮南子考　萩原大麓
淮南子音義一巻　諸葛晃
淮南鴻烈解摘注一巻　諸葛晃
增注淮南子二十一巻　諸葛晃
淮南子箋釋二十一巻　竹添光鴻
現代語譯淮南子二十一巻　小野機太郎
Tao——The Great Luminant　Evan, Morgan

The Huai-nan-tzu, Book XI: Behavior, Culture And The Cosmos　Benjamin E. Wallacker

Huai Nan Tzu, Chapter XVI, Shuo Shan　Sailey, Jay　手稿本

外此，猶有無關考訂之書若文，亦嘗取以參稽，並列其目於次。（題跋、書後之類弗錄。）

淮南王書　胡適

淮南子通論　鄭良樹

劉安　于大成

莊荀淮南馬班論列諸子異同考　蕭奚熒

雜家與淮南子　戴先生靜山

老子與淮南子　朱錦江

淮南子與莊子之關係　周駿富

淮南子與莊子　王先生叔岷

淮南子教育學說　陳炳焜

淮南子中的樂律學　楊沒累

淮南書中的哲理　姚璋

淮南書中修養要旨　管道中

淮南子的政治思想　韓濬

讀淮南子偶書　陳鋭
論爾雅淮南子史記之歲陽歲陰　葉芝生
淮南子書錄　吳則虞
淮南子注本考略　郭翠軒
淮南子注家疑似及版本得失平議　張嚴
淮南子二十一卷論次得失平議　張嚴
六十年來之淮南學　于大成
淮南子の的歷史　倉石武四郎（有江俠庵譯本，收入先秦經籍考。）
淮南子ニ見エタル金石ニ就イテ　那波利貞
淮南子に現われた氣の研究　平岡禎吉

內篇考之既已，茲復考其中篇。

漢書本傳云：「招致賓客方術之士數千人，作爲內書二十一篇，外書甚衆，又有中篇八卷，言神仙黃白之術，亦二十餘萬言」。是淮南內篇、外書之外，復有中篇八卷二十餘萬言也。楚元王傳云：「淮南有枕中鴻寶苑秘書，書言神僊使鬼物、爲金之術，及鄒衍重道延命方」，風俗通正失篇亦云：「俗說淮南王安招致賓客方術之士數千人，作鴻寶苑秘枕中之書，鑄成黃白」，是中篇又名鴻寶苑秘書也。淮南之書，內篇曰鴻烈，中篇曰鴻寶。內篇言明道立功之事，（高誘叙：「鴻，大也。烈，明也。以爲大明道之言也」。泰族爲許慎註：「鴻，大也。烈，功也」。）中篇言變化成僊之術。「苑秘」一作「萬畢」。藝文類聚七十八引列仙傳曰：「漢淮南王劉安言神仙黃白之事，名爲鴻寶萬畢，三卷論變化之道」，神仙傳卷四曰：「漢淮南王劉安篤好儒學，兼占候方術。養士數千人，皆天下俊士。作內書二十二篇，大成案當云二十一。又中篇八章，言神仙黃白之事，名爲鴻寶萬畢，三章論變化之道，凡十萬言大成案依本傳，十上當有二字。」，是也。而其書藝文志不箸錄。然在漢世，流傳實不絕。史記龜筴傳褚先生曰：「臣爲郎時，見萬畢石朱方傳，曰：有神龜在江南嘉林中」云云，索隱：「按萬畢術中有石朱方，方中說嘉林中，故云傳曰」。則褚少孫嘗見其書也。漢楚元王傳稱：「更生父德，武帝時治淮南獄得其書，更生幼而讀誦，以爲奇，獻之」，亦見博物志七引典論。則劉德父子亦嘗見其書也。抱朴子遐覽篇有鴻寶經一卷，又八公黃白經一卷，又萬畢符一卷。稚川好道，所記諸道經，皆其師鄭君所有，稚川侍鄭君，當親見此等諸書，是晉時有其書也。梁七錄有淮南萬畢經、淮南變化術各一卷，又有淮南中經四卷。見隋志五行家。意林有淮南萬畢術一卷，兩唐志並同。是此書唐時猶存。然本傳止云中篇八卷，神仙傳乃區爲鴻寶萬畢八章及論變化之道三章，七錄故二者各有一卷，又別出中經四卷。疑漢時中篇八卷止是一書，後人自其中釐出論變化之道者爲三章，其本書仍題作鴻寶萬畢。梁時書已殘闕，又自萬畢經、變化術中別析出四卷，題曰中經，還漢代之舊，而萬畢經與變化術以字少止各得一卷。至唐，殘闕益甚，孴集互補，止得一卷，存萬畢之名。宋初其書猶在，御覽中徵引最多，或南渡時亡佚，宋志故不箸于錄矣。

夷考萬畢之術，蓋亦如內篇鴻烈，雜采諸書而成。周禮夏官司爟氏，「掌以夫遂取明火於日，以鑒取明水於月」，翦氏「掌除蠹物，以攻禜攻之，以莽草薰之」，蟈氏「掌去鼃黽，焚牡蘜，以灰洒之則死」，春秋繁露郊語篇：「慈石取鐵，頸一作眞金取火」，並見此書。周禮，淮南所及見，董子當與淮南並本于舊說也。然則萬畢之傳受古矣。抱朴子遐覽篇曰：「變化之術，大者唯有墨子五行記，本有五卷。昔劉君安未仙去時，鈔取其要，以爲一卷。其法用藥用符，乃能令人飛行上下，隱淪無方，含笑卽爲婦人，蹙面卽爲老翁，踞地卽爲小兒，執杖卽成林木，種物卽生瓜果可食，畫地爲河，撮壤成山，坐致行厨，興雲起火，無所不作也」，是墨子五行記亦其所本也。抱朴子又曰：「其次有玉女隱微一卷，渡大水不用舟梁」云云，其術亦見此書中，則玉女隱微亦其所本也。墨子五行記與玉女隱微今雖不傳，要亦戰國、嬴秦方士之書。漢郊祀志上：「小方闘棊，棊自相觸擊」。說文十三上虫部：「蚨，青蚨，水蟲，可還錢」，鬼谷子內揵篇：「若蚨母之從其子也，出無閒，入無朕，獨往獨來，莫之能止」，初學記二十七引搜神記：「南方有蟲，其形似蟬而大，其子著草葉如蠶種，得子以歸，則母飛來就之。殺其母，以血塗其子，以其子塗母，用錢貨市，旋則自還。淮南子術以之還錢，名曰青蚨」，天中記五十七引郡國志：「東晢云：青蚨可以還錢。或曰青蚨」。說文十四上金部：「鑑，方諸也，可以取明水於月」。庾信小園賦：「鎭宅神以薶石」。以上均見此書，蓋皆取於萬畢，然則是書在漢、晉、六朝，其流傳廣矣。叔重嘗注淮南內篇者，亦必見其書，故說文亦用其文也。後世若物類相感志、千金方、岣嶁神書、古今秘苑諸書，頗載奇術秘方，想亦有取夫萬畢之術也。

藝文類聚七十八引列仙傳：「八公乃詣王，授丹經及三十六水方」，今道藏洞神部衆術類有三十六水法一卷，唐李珣海藥本草政和本草十二引。、蘇恭唐本草、馬志開寶本草均見本草綱目八玉條下引。亦引淮南三十六水法。王仁俊玉函山房輯佚書續編（子編藝術類）又有淮南枕中記一卷。考漢楚元王傳旣稱其書爲枕中鴻寶苑秘書，則枕中記當卽其書。開寶本草云：「今仙經三十六水法中化玉爲玉漿，稱爲玉泉，服之長年不老」，卽漢書所謂延命方也。然則枕中記與三十六水法，蓋皆在萬畢之中，非別有其書也。

或謂御覽諸書所引，多鄙瑣之術，何淮南之博辯善爲文辭，迺獨事此瑣瑣然也？不知萬畢經中，本有神仙黃白之術，重道延命之方，特其事不易幾，久之故失傳。而鄙瑣小術，其事易驗，人得其書，斯優爲之，故後獨傳爾。且今淮南內篇中，如地形篇之「磁石上飛，雲母來水」，氾論篇之「老槐生火，久血爲燐」，說山篇之「狸頭愈鼠，雞頭已瘻，䖟散積血，斲木愈齲，膏之殺鼈，鵲矢中蝟，爛灰生蠅，漆見蟹而不乾，梧桐斷角，馬氂截玉」之類，或與此同醜，或亦見此書。又如天文篇之「方諸見月則津而爲水」，氾論篇之「猩猩知來而不知往」，此書中亦有其文。於內篇則不怪，何獨於萬畢而怪之也？

至書之所以名曰萬畢者，蓋有二說，方以智（通雅）謂：「萬畢者，言萬法畢於此」，葉德輝（萬畢術序）謂：「萬，盈數也。畢，盡也。言萬物之理盡具於此也」。此一說也。陳奐（題長洲馬釗所輯淮南萬畢術後）以爲是「人姓名，蓋八公之一」。考抱朴子遐覽篇有萬畢高丘先生法三卷，紫陽眞人周君內傳（雲笈七籤一百六）謂其「遊行天下名山大澤，乃登景山，遇黃臺萬畢先生，受九眞中經」。萬畢是人姓名，於古有徵。王子年拾遺記四蕭綺錄引淮南子云：「含雷吐火之術，出於萬畢之家」，閱其文義，似亦是人姓名。則陳說是也。

就唐、宋已前諸書所引萬畢術觀之，其文蓋多以四字爲句，每條皆有注。史記孝武紀正義引高誘注淮南子云；「取雞血與針磨，擣之以和磁石，用塗碁頭，曝乾之，置局上，卽相拒不止也」，沈濤銅熨斗齋隨筆七以今淮南子注中無此文，而封禪書索隱引顧氏按萬畢術云云，其語略同，案亦見御覽九百八十八引因以萬畢術亦高誘所注。今案高注淮南內篇，雖亦頗用萬畢術文，然其注萬畢，它無所聞。竊以爲萬畢文注，當出一手，蓋正文僅標其目，注中迺言其術。誠盡刋注文，則所謂術者實不可解。箸爲此書者不能揭其目而不言其術也。且本傳稱中篇二十餘萬言，設無其注，即其書文字萬萬不能至此數。張守節實引萬畢術注，以高誘曾注淮南子，誤作高注淮南爾。沈說非也。

萬畢術佚于宋，唐、宋以前載籍所引尚多，清儒輯之者凡數家，今試列其目。余比年治淮南，亦兼及於此，所得眡昔賢頗有增益。前脩未密，作始本難，曾冰積水，不當盡屬後來之功。

淮南萬畢術一卷補遺一卷再補遺一卷　茆泮林輯

在十種古佚書內。

淮南萬畢術一卷　孫馮翼輯

在問經堂叢書內。

淮南王萬畢術一卷　黃奭輯

在子史鉤沈內。

淮南萬畢術　馬釗輯

見陳奐書後。

淮南萬畢術一卷　丁晏輯

在南菁書院叢書內。

萬畢術　黃以周輯

有序，見子敘。

淮南萬畢術輯證一卷　王仁俊輯

光緒丁未刊。

萬畢術注　吳廣霈輯

孫殿起嘗見之。

淮南萬畢術二卷　葉德輝輯

收入郎園全書，校注甚詳備，大勝已上諸作。

淮南萬畢術集證　于大成輯

淮南王書，紀綱道德，總統仁義，籠天地于形內，挫萬物于筆耑。因陰陽之大順，采儒、墨之善，撮名、法之要，而成一家之言。班史列之雜家，後世接武呂覽。論其義蓍贍富，文信奚足方駕！言其條貫緜密，淮南宜稱絕倫。余雅愛厥書，流覽羣誦，久而不廢。獨恨詞旨玄眇，猷多未達。蓋今時之本，迭經變竄，許、高既掍而不分，鈔刊又展轉譌亂，不有讎斠，疇能罔所疑義於其閒者乎！用是緡羣絮册，剌取舊文，排比釐析，參稽故訓，而爲淮南子校釋焉。既付寫官，粵考其書之顛末如此。

淮南鴻烈遺文考

四庫提要曰：「白居易六帖引烏鵲塡河事，云：出淮南子。而今本無之，則尚有脫文也」。胡玉縉四庫提要補正曰：「後漢劉瑜、袁紹傳注、初學記二、文選曹植求通親親表及江淹詣建平王上書李善注，並引鄒衍正夏降霜事，爲今本所無，提要未之及」。今案古籍所引淮南文，其出于今本之外者多矣，奚適之二事也！清儒孫志祖嘗言之矣。至王仁俊、劉文典乃輯爲嫥帙，吳則虞復有補葺，曾冰積水，侵潯益多。大成譔淮南子校釋既已，因匯群書所引淮南遺文，吾爲一卷，略事攷定。別爲附錄，係之卷末。其有雖引淮南，而實爲今本二十一篇鄦、高二家注文者，苟有明證，豕亦忽諸。吳書未成，未覘所詣。王、劉二公復起，緊有長孺之嗟乎。歲次閼逢攝提格，律中南呂，才生霸，章丘于大成長卿父鴻寶苑祕枕中隱居南窗下書。於旹蟾壺漏盡，瓊鐵報曙，二十五聲秋點，鍾山之神視矣。

烏鵲塡河成橋而渡織女。白帖橋部

兪正燮云：六帖鵲部引淮南子云：「烏鵲塡河成橋，渡織女」，今淮南無之，或萬畢術文。歲華記麗「鵲橋已成」，注引風俗通云：「織女七夕當渡河，使鵲爲橋」。今風俗通已殘缺。馬縞中華古今注云：「鵲一名神女，俗云七月塡河成橋」，乃附益崔豹所無者。鵲於是日顚禿，又復不見，容是禽鳥有所避忌。淮南子言「鵲開戶知向太一」，太一下行，忌七殺。重七避蟄，不足爲異。鵲又純雌，故名神女。値七日有牛女之說，人遂妄意爲織女橋致首禿爾。

劉文典云：王觀國學林四引淮南子云：「烏鵲塡河成橋而渡織女」，與白帖橋部引文正同。王氏南渡後人，所引疑亦採之類書，非所見本尚有此文也。

大成案此文除見于白帖橋部、鵲部、學林外，又見蔡夢弼注杜詩卷一（臨邑舍弟書至苦雨黃河泛溢隄防之患簿領所憂因寄此詩用寬其意）、卷二十一（玉臺觀）、卷二十七（哭王彭州掄）、分類補注太白詩卷二十四（擬古十二首楊齊賢注）、海錄碎事三下、韻府群玉二蕭橋字注、五歌河字注、十藥鵲字注、群書通要甲集七、天中記二。容齋隨筆四：『宋蒼梧王當七夕夜，令楊玉夫伺織女度河，曰：「見當報我，不見當殺汝」。予按天上經星，終古不動。鬼宿隨天西行，春昏見於南，夏昏見於東，秋夜半見於東，冬昏見於東，安有所謂渡河及常在中夜之理！織女昏晨與鬼宿正相反，其理則同。蒼梧王荒悖小兒，不足笑。杜詩云：「牛女漫愁思，秋期猶渡河，牛女年年渡，何曾風浪生」，梁劉孝儀詩云：「欲待黃昏至，含嬌淺渡河」，唐人七夕詩皆有此說，此自是牽俗遺詞之過。故杜老又有詩云：「牽牛出河西，織女處其東，萬古永相望，七夕誰見同。神光竟難候，此事終蒙朧」，蓋自洞曉其實，非他人比也』。

鄒衍事燕惠王，盡忠。左右譖之，王繫之，仰天而哭，五月天爲之下霜。

孫志祖云：後漢書劉瑜傳注引淮南子云云，袁紹傳注同。又見初學記二。文選求通親親表李善注所引略同。今淮南無此文。

劉文典云：北堂書鈔百五十二（書鈔引忠作誠，避隋文帝父諱也）、藝文類聚三、太平御覽十四、二十三所引亦略同。白帖二引作「鄒衍事燕惠王，盡其忠貞。左右譖之，王弃衍。衍仰天而哭，感霜降」。文選詣建平王上書注引作「鄒衍盡忠於燕惠王，惠王信譖而繫之。鄒子仰天而哭，正夏而天爲之降霜」。論衡感虛篇：「鄒衍無罪，見拘於燕。當夏五月，仰天而歎，天爲隕霜」。論衡所舉儒者傳書之言，多與淮南子同，則此文亦必本之淮南也。

王先生叔岷云：疑是覽冥篇之文。

大成案事類賦注三、蒙求集注、錦繡萬花谷二、群書通要甲集三、天中記三引此文，竝與後漢注略同；李白上崔相百憂章楊齊賢注（分類補注二十四）引與選注略同。歲華記麗三引作「鄒衍事主盡忠，燕惠王信讒囚衍。衍仰天哭，天爲五月降霜」。江淹詣建平王上書曰：「昔者賤臣叩心，飛霜擊於燕地；庶女告天，振風襲於齊臺。下官每讀其書，未嘗不廢卷流涕。何者？士有一定之論，女有不易之行。信而見疑，貞而爲戮，是以壯夫義士伏死而不顧者，此也」，卽用淮南文。庶女告天見覽冥篇，「士有一定之論」二句見原道篇。又案白帖引此文在卷一，今傳白孔六帖引乃在卷二。昔人不見眞白帖，誤以今本白孔六帖當白帖，雖王念孫亦然。案白帖曁孔續六帖本皆三十卷，後人合而一之，析爲百卷，玉海所載已然，則宋本已如是也。唯宋本白帖分三十卷，猶存香山之舊。

安養士數千，高才者八人：蘇非、李尚、左吳、陳由、伍被、毛周、雷被、晉昌，號曰八公也。

王先生云：史記淮南傳索隱引淮南要略云云，今本要略篇無此文，亦不類淮南文，此頗似注者之敍，惟據卷首高敍云：「天下方術之士多往歸焉。於是遂與蘇飛、李尚、左吳、田由、雷被、毛被、伍被、晉昌等八人，及諸儒大山、小山之徒，共講論道德，總統仁義，而著此書」，與此敍亦不符。要略篇乃許注本，則此當是許氏注要略既訖，所附於卷末之敍，而司馬貞誤以爲正文耳。文選謝玄暉和王著作八公山詩注引此亦誤以爲淮南文，首二句作「淮南王安養士數千人，中有高才八人」。御覽四七四亦引之，「中有」作「其中」。洪頤煊說同

劉文典云：文選謝玄暉和王著作八公山詩注引淮南子：「淮南王安養士數千人，中有高才八人：蘇非、李上、左吳、陳由、伍被、雷被、毛被、晉昌爲八公」，太平御覽四百七十五引淮南子：「淮南王安養士數千人，其中高才八人：蘇非、李難、左吳、陳田、伍被、雷被、毛被、晉昌，號爲八公，共此看書」。八公姓名與高誘序正同。「共此看書」四字，疑即高誘序「共講論道德，總統仁義，而著此書」十三字之敓誤。

大成案宋本御覽四百七十五引「李難」作「李南」，南卽尚字之誤文，俗本又以聲誤作難矣。「陳田」亦當作「陳由」。水經肥水注云：「左吳與王春、傅生等，尋安同詣玄洲，還爲著記，號曰八公記」，八公之名，與高誘敍、選注、史記索隱、御覽竝不同。又案葛洪神仙傳：『天下道書及方術之士，不遠千里，卑辭重幣請致之。於是乃有八公詣門，皆鬚眉皓白。門吏先密以白王，王使閽

人自以意難問之，曰：「我王上欲求延年長生不老之道，中欲得博物精義入妙之大儒，下欲得勇敢武力扛鼎暴虎橫行之壯士。今先生年已耆矣，似無駐衰之術，又無賁、育之氣，豈能究於三墳五典八索九邱，鈎深致遠，窮埋盡性乎？三者既乏，餘不敢通」。八公笑曰：「我聞王尊禮賢士，吐握不倦，苟有一介之善，莫不畢至。古人貴九九之好，養鳴吠之技。誠欲市馬骨以致騏驥，師郭生以招群英，吾年雖鄙陋，不合所求，故致遠其身，且欲一見王，雖使無益，亦豈有損！何以年老而逆見嫌耶！王必若見年少則謂之有道，皓首則謂之庸叟，恐非發石採玉、探淵索珠之謂也。薄吾老，今則少矣」。言未竟，八公皆變爲童子，年可十四五，角髻青絲，色如桃花。門吏大驚，走以白王。王聞之，足不履，跣而迎。發思仙之臺，張錦帳象牀，燒百和之香，進金玉之几，執弟子之禮。遂授王丹經三十六卷，藥成，未及服。而太子遷好劍，自以人莫及也。於時郎中雷被召與之戲，而被誤中遷，遷大怒。被怖，恐爲遷所殺，乃求擊匈奴以贖罪。安聞，不聽。被大懼，乃上書於天子云：「漢法：諸侯壅閼不與擊匈奴，其罪入死。安合當誅」。武帝素重王，不咎，但削安二縣耳。安怒被，被恐死，與伍被素爲交親，伍被曾以干私得罪於安，安怒之未發。二人恐爲安所誅，乃共誣告稱安謀反。天子使宗正持節治之。八公謂安曰：「可以去矣！此乃是天之發遣王。王若無此事，日復一日，未能去世也」。八公使安登山大祭，埋金池中，即白日昇天』。又引左吳記云：『安臨去，欲誅二被。八公諫曰：「不可！仙去不欲害行虫，況於人乎」？安乃止』。則八公自八公，左吳、二被之等俱不在其數。水經注云：「八公山上有淮南王劉安廟，廟中圖安及八士像，皆坐牀帳，如平生，被服纖麗，咸羽扇裙帔。巾壺枕物，一如常居」，圖當依神仙傳所記，二被之等被服不合如此。故容齋續筆七云：「壽春有八公山，正安所延致賓客之處，傳記不見姓名，而高誘敍以爲蘇飛、李尚、左吳、田由、雷被、毛被、吳被、晉昌等八人。然惟左吳、雷被、伍被見於史。雷被者，蓋爲安所斥而亡之長安上書者，疑不得爲賓客之賢也」。竊意高敍八人姓名，當本許眘爲說，許君去淮南未遠，其說當有所本。後人旣傳安仙去，又附會八人而造爲八公，種種神奇，皆屬子虛。神仙傳又引左吳記云：「安卽以左吳、王眘、傳生等五人至玄洲，便遣還」，與水經注異。「王眘」之與「王春」，當有一誤。酈元所謂八公記，當卽此所謂左吳記也。又宋本御覽無「共此看書」四字。

禹治洪水，通轘轅山，化爲熊，謂塗山氏曰：欲餉，聞鼓聲乃來。禹跳石，誤中鼓。塗山氏往見，禹方作熊，慙而去。至嵩高山下化爲石，方生啓。禹曰：歸我子！石破北方而啓生。

孫志祖云：漢書武帝記：「元封元年，登禮中嶽，見夏后啓母石」，顏師古曰云云，事見淮南子。洪興祖楚詞天問補注亦云。今惟修務訓有「禹生於石」之文，豈此事出許愼注邪！語涉怪誕，不似鴻烈本書。山海經五傳云：「啓母化爲石而生啓，見淮南子」。

劉文典云：北堂書鈔二十三引「石破生啓」，云出淮南子。太平御覽五十一引作「禹娶塗山，化爲石，在嵩山下。方生啓，曰：歸我子！石破北方而生啓」。又藝文類聚六、太平御覽五十一引隨巢子：「禹產於䃌石，啓生於石」。北堂書鈔一引「啓生䃌石」。史記六國表集解引皇甫謐云：「禹生石紐」。馬驌繹史十二：「禹娶塗山，治鴻水，通轘轅山，化爲熊。塗山氏見之，慙而去。至嵩高山下化爲石。禹曰：歸我子！石破北方而生啓」。王氏念孫淮南子雜志云：「書鈔、御覽及師古注所引，即許愼之注」。孫氏詒讓云：『脩務訓「禹生於石，史皇產而能書」，疑並用隨巢子文』。文典疑淮南王書舊有「石破生啓」之文，而今本敓之也。

大成案此文亦見事類賦注七、册府元龜二、通志三上、元程棨三柳軒雜識、弇州山人四部稾宛委餘編四、天中記十八、又三十九引，文略同。軒轅本紀：「古有大禹，女媧十九代孫。大禹壽三百六十歲，入九嶷山，仙飛去。後三千六百歲，堯理天下，洪水既甚，人民墊溺。大禹念之，乃化生於石紐山泉。女狄暮汲水，得石子如珠，愛而吞之，有娠，十四月生子。及長，能知泉源，代父鯀理洪水，三年功成。堯帝知其功如古大禹，知水源，乃賜號禹」，則又附會「生於石」之文，與河圖著命云脩已感流星，含文嘉云吞薏苡，鉤命訣云命星貫昴，夢接而生禹並不合也。皇甫謐引孟子云：「禹生石紐，西夷人也」，餘若楊雄蜀王本紀、吳越春秋越王無余外傳、譙周蜀本紀、三國志秦宓傳、水經沫水注、括地志、元和郡縣志、遁甲開山圖榮氏注、路史後紀夏后氏紀等皆有此說。楊愼丹鉛續錄六：「石紐村，今之石鼓山，其山朝暮二時有五色霞氣。又有大禹採藥亭在大業山，其地藥氣觸人，往往不可到」。而隨巢子云𥓓石，又云碣石之東，易林師之漸云石夷之野，洛書云石夷，其地皆有石名。此文自是注文，孫說甚是。書鈔「石破生啓」即用注語，劉氏疑淮南舊有此文，非。

弃車之上無仲尼，覆舟之下無伯夷。御覽四百五十九

劉文典云：韓非子安危篇：「弃車之上無仲尼，覆舟之下無伯夷。故號令者，國之舟車也，安則智廉生，危則爭鄙起」。御覽引殷康明愼云：「犇車之上無仲尼，覆舟之下無伯夷，言愼也」。山谷漫尉詩云：「覆轍索孤竹，弃車求仲尼」。王應麟云：「此韓非語也。余襄公余靖本名思古，字道安，建州人謹箴用之」。御覽引此條，上下皆韓非子文，王氏亦以爲韓非語，而不及淮南。疑御覽誤。

大成案此文亦見金樓子立言上篇。

湯時大旱七年，卜用人祀天，湯曰：我本卜祭爲民，豈乎自當之。乃使人積薪，翦髮及爪自潔，居柴上，將自焚以祭天。火將然，卽降大雨。文選張平子思玄賦注

劉文典云：呂氏春秋順民篇：『昔者湯克夏而正天下，天大旱，五年不收。湯乃以身禱於桑林，曰：「余一人有罪，無及萬夫，萬夫有罪，在余一人。無以一人之不敏，使上帝鬼神傷民之命」。於是翦其髮，鄽其手，以身爲犧牲，用祈福於上帝。民乃甚說，雨乃大至』。御覽八十三引帝王世紀：「湯自伐桀後，大旱七年，洛川竭。使人持三足鼎祝於山川，曰：「慾不節耶？使民疾耶？苞苴行耶？讒夫昌耶？宮室營耶？女謁行耶？何不雨之極也」？殷史卜曰：「當以人禱」。湯曰：「吾所爲請雨者，民也。若必以人禱，吾請自當」。遂齋戒翦髮斷爪，以己爲牲，禱於桑林之社，曰：「唯予小子履，敢用玄牡，告于上天后土曰：「萬方有罪，罪在朕躬；朕躬有罪，無及萬方。無以一人之不敏，使上帝鬼神傷民之命」。言未已而大雨至，方數千里』。文選注引文「湯曰：我本卜

祭爲民，豈乎自當之」，當有敓誤。墨子兼愛下篇文略同。

大成案主術篇曰：「湯之時，七年旱，以身禱於桑林之際，而四海之雲湊，千里之雨至」，選注所引，疑是此處許昚注文。又修務篇亦云：「湯苦旱，以身禱於桑林之際」。今本有奪誤，从王念孫校改。

楚恭王遊于林中，有白猨緣木而嬌，王使左右射之，騰躍避矢，不能中。於是使由基撫弓而眄，猨乃抱木而長號。何者？誠在於心，而精通於物。文選張茂先勵志詩注

劉文典云：今本淮南子說山篇：「楚王有白蝯，王自射之，則搏矢而熙，使養由基射之，始調弓矯矢，未發，而蝯擁柱號矣」，文選幽通賦注、御覽三百五十、事類賦十三引皆與說山篇文略同。勵志詩注所引，必他篇之逸文，非說山篇之異文也。藝文類聚九十五引郭璞山海經圖讚：「白猿肆巧，由基撫弓，應眄而號，神有先中」，則所見本必有「撫弓而眄」之文。呂氏春秋博志篇文與此多異。

大成案類林九：「楚恭王獵，見猿遶樹避箭，莫能中，王命由基，基撫弓弦，猿乃抱樹而啼」，蒙求集注、紺珠集引淮南文略同。然與選注所引亦不合。呂氏春秋博志篇云：「荆廷嘗有神白猨，荆之善射者莫之能中，荆王請養由基射之，養由基矯弓操矢而往，未之射而括中之矣，發之則猨應矢而下，則養由基有先中中之者矣」，郭璞「神有先中」之文見于此。疑景純之讚，褋采呂氏與淮南二書，不竱用鴻烈文也。

富貴而之不道，適足以爲患。出車入輦，務以自供，命之曰蹷身之機。肥肉厚酒，務以相强，命之曰爛

腹之食。靡曼皓齒，鄭衞之音，命之曰伐性之斧。三患者，富貴之所致。（御覽四百七十二）

劉文典云：呂氏春秋本生篇：「貴富而不知道，適足以爲患，不如貧賤。貧賤之致物也難，雖欲過之，奚由？出則以車，入則以輦，務以自佚，命之曰招蹷之機。肥肉厚酒，務以自彊，命之曰爛腸之食。靡曼皓齒，鄭衞之音，務以自樂，命之曰伐性之斧。三患者，貴富之所致也」，即此文所本。「務以自供」，供當爲佚，字之誤也。草書失或作失，形與共相似，故佚誤爲供耳。枚叔七發：「且夫出輿入輦，命曰蹷痿之機。洞房淸宮，命曰寒熱之媒。皓齒娥眉，命曰伐性之斧。甘脆肥膿，命曰腐腸之藥」，即約用此文。

大成案「富貴而之不道」，疑亦當从呂氏春秋作「富貴而不知道」，知誤爲之，又誤錯不字上耳。

湯伐桀，放之歷上，與末喜同舟浮江，奔南巢之山而死。（史記律書正義、又夏本紀正義）

杭士駿云：淮南修務訓云：「整兵鳴條，困夏南巢，譙以其過，放之歷山」，無「末喜同舟」之語。（劉文典說同）

大成案御覽八十二引帝王世紀曰：「湯追至，大涉，遂禽桀於焦，放之歷山，乃與妹喜及諸嬖妾同舟浮海，奔于南巢之山而死」，有與妹喜同舟之文。胡鳴玉訂譌雜錄十：「妹喜，桀妻，妹音末，从本末之末，與姊妹之妹从未不同」。

槐之生也，入季春五日而兎目，十日而鼠耳，更旬而始規，二旬葉成。注：規，葉始開也。（御覽九百五十四、事類賦注二十五、埤雅十四、爾雅翼十一、記纂淵海九十五、事文類聚後集二十三、群書通要庚集四、天中記五十一）

王先生云：疑是時則篇之文。

大成案藝文聚八十八引莊子有此文，唯無「更旬而始規」二句，亦無注文。困學紀聞十輯入莊子逸篇，翁注謂「今本御覽誤作淮南子」。考宋本御覽引已作淮南子，且下又接引「九月官候，其樹槐」諸條，知淮南固自有此文，非御覽誤引也。

鼈化爲鶉，鶉化爲鸇，鸇化爲布穀，布穀復爲鷂，順節令以變形也。（師曠禽經）

大成案御覽八百八十七引莊子曰：「鷂之爲鸇，鸇之爲布穀，布穀之復爲鷂也。鷰之爲蛤也，田鼠之爲鶉也，此皆物之變者」（亦見藝文類聚九十一引），亦見列子天瑞篇。列子釋文云：「鶉音淳，與鼃化同」，則鼈字當爲鼃之誤文。時則篇仲春之月：「鷹化爲鳩」，高注云：「鳩蓋謂布穀也」，卽此「鸇化爲布穀」也。

南方有鳥，名爲鳳。天爲生食，其樹名瓊枝，以璆琳琅玕爲實。天又爲生離珠，一人三頭，遞臥遞起，以飼琅玕也。（事類賦注十八）

大成案藝文類聚九十、太平御覽九百十五引莊子曰：『老子見孔子從弟子五人，問曰：「前爲誰」？對曰：「子路勇且多力，其次子貢爲智，曾子爲孝，顏回爲仁，子張爲武」。老子歎曰：「吾聞南方有鳥，名爲鳳。所居積石千里。天爲生食，其樹名瓊枝，高百仞，以璆琳琅玕爲實。天又爲生離珠，一人三頭，遞臥遞起，以伺琅玕。鳳鳥之文，戴聖嬰仁，右智左賢」，文選江文通襍體詩斅嵇康言志注引莊子：「老子歎曰：吾聞南方有鳥，其名爲鳳，居積石千里，河海出下，鳳皇居上。

天爲生樹，名瓊枝，高百二十仞，大三十圍，以琳琅爲實」，文雖小異，然卽藝文類聚、太平御覽所引，蓋互有節略耳。疑吳淑誤引。

越雞不能伏鶴卵。（御覽九百二十八）

大成案藝文類聚九十一引莊子有此文，鶴作鵠。然御覽亦不似誤引。

春氣發而百草生，正得秋而萬實成。（御覽二十四、事類賦注五）

大成案莊子庚桑楚有此文。淮南氾論篇曰：「天地之氣，莫大於和。和者，陰陽調、日夜分，而生物，春分而生，秋分而成，生與成必得和之精」，可爲此文注脚。

䮚然莫不方音，合於桑林之舞。（唐本玉篇石部）

大成案此文今見莊子養生主。依莊子，「䮚然」二字當與上文「奏刀」爲句，「方」字誤，字當爲「中」。

其爲鳥也，翂翂翐，而似無能，引援而飛，迫脅而棲。（庶物異名疏二十四）

大成案此文莊子山木有之。依莊子，「翐」字當重。

人生天地之間，如鑿石見火，電光過隙。（釋智圓涅槃玄義發源機要四）

大成案已上兩條，承王先生檢示，附此致謝。

槐市，學也。樹以青槐。（御覽九百五十四、事類賦注二十五、集注分類東坡詩十九、又施元之注二十三）

大成案淵鑑類函二百五十二引華嶽記：「華嶽西北，各有槐市。楊震講學，授徒成市，其處多槐，故號焉」，御覽五百三十四引三輔黃圖曰：「元始四年，起明堂辟雍，爲博士舍，三十區。爲會市，但列槐樹數百行，諸生朔望會此市，各持其郡所出物及經書，相與賣買，雍雍揖讓，論議槐下，侃侃誾誾如也」，唐寫本古類書文筆部：「昔人於槐樹讀書，因市易，號曰槐市」。三說不同。而槐市之名，乃先見于淮南子。書敍指南五、紺珠集亦引淮南子云：「太學曰槐市」。

燧人秋取槐檀之火。御覽九百五十四

大成案論語陽貨篇「鑽燧改火」，集解引馬融曰：「周書月令有更火之文：春取榆柳之火，夏取棗杏之火，季夏取桑柘之火，秋取柞楢之火，冬取槐檀之火」，周禮夏官司爟「掌行火之政令，四時變國火，以救時疾」，鄭司農引鄹子曰：「春取榆柳之火，夏取棗杏之火，季夏取桑柘之火，秋取柞楢之火，冬取槐檀之火」御覽二十四、又二十七引鄒子同鄭司農，又古微書禮緯稽命徵亦有此文，且並論語邢疏收入，不知何據。已上竝以槐檀之火屬冬。論語皇疏云：「改火之木，隨五行之色而變也。榆柳色青，春是木，木色青，故春用榆柳也。棗杏色赤，夏是火，火色赤，故夏用棗杏也。桑柘色黃，季夏是土，土色黃，故季夏用桑柘也。柞楢色白，秋是金，金色白，故秋用柞楢也。槐檀色黑，冬是水，水色黑，故冬用槐檀也」，則此秋字合是冬之誤文。

桃都山大樹，曰桃都，有天雞，日出卽鳴，天下雞皆鳴。韻府群玉八齊

大成案荊楚歲時記引括地圖：「桃都山有大桃樹，盤屈三千里，上有金雞，日照則鳴」，任昉述異記下：「東南有桃都山，上有大樹，名曰桃都，枝相去三千里。上有天雞。日初出，照此木，天雞

則鳴，天下雞皆隨之鳴」。唐施肩吾海邊遠望詩：「扶桑枝邊紅皎皎，天雞一聲四溟曉」，儲光羲題應聖觀詩：「天雞弄白羽，王母垂元髮」，皆用此事。元人所見淮南，不當出今本外，疑陰氏誤引。

東歸碣石，違溽暑也。（御覽九百十六）

鴈南翔衡陽，避祁寒也。（胡穉注陳簡齋詩十二）

大成案御覽引淮南「東歸碣石」二句後，接引平子賦曰：「南寓衡陽，避祁寒也」。御覽此卷所引諸文，敍次頗有錯亂，疑此四句竝不出鴻烈。胡穉所引，必稗販自御覽，又以二句相鄰，誤平子爲淮南。且御覽引此兩條在鴻下，嚴氏全文收「南寓衡陽」云云，題名鴻賦，胡氏乃妄增鴈字，尤爲非是。

太陰在上，蚯蚓結，爲陽候。（御覽九百四十七）

大成案時則篇仲冬之月：「丘螾結」，高注曰：「應微陽氣也」。疑御覽所引是時則篇許注文。

百足之蟲，至死不僵，扶之者衆也。（海錄碎事十下）

大成案文選曹元首六代論：「語曰：百足之蟲，至死不僵，扶之者衆也」，注引魯連子曰：「百足之蟲，至斷不蹶者，持之者衆也」。曹冏所引，果出淮南，崇賢不當反引魯連作注，疑廷珪誤。

東海之魚名鰈，比目而行；北方有獸，名曰婁，更食更候；南方有鳥，名曰鶼，比翼而飛。夫鳥獸魚鰈，猶知假力，而況萬乘之主乎！獨不知假天下之英雄俊士與之爲伍，豈不痛哉！（長短經是非篇）

大成案爾雅釋地：「東方有比目魚焉，不比不行，其名謂之鰈；南方有比翼鳥焉，不比不飛，其名謂之鶼鶼；西方有比肩獸鳥，與邛邛岠虛比，爲邛邛岠虛齧甘草，卽有難，邛邛岠虛負而走，其名謂之蹷；北方有比肩民焉，迭食而迭望」，韓詩外傳五：「東海之魚，名曰鰈，比目而行，不相得不能達；北方有獸，名曰婁，更食而更視，不相得不能飽；南方有鳥，名曰鶼，比翼而飛，不相得不能擧；西方有獸，名曰蟨，前足鼠，後足兎，得甘草，必銜以遺蛩蛩距虛，其性非能蛩蛩距虛，將爲假之故也。夫鳥獸魚猶相假，而況萬乘之主，而獨不知假此天下英雄俊士與之爲伍，則豈不病哉」。爾雅與韓詩外傳，並述及四方，此文唯及東、北、南三方，獨遺西方。考道應篇云：「北方有獸，其名曰蹷，鼠前而菟後，趨則頓，走則顚，常爲蛩蛩駏驉取甘草以與之，蹷有患害，蛩蛩駏驉必負而走：此以其能託其所不能」，呂氏春秋不廣篇云：「北方有獸，名曰蟨，鼠前而兎後，趨則跲，走則顚，常爲蛩蛩距虛取甘草以與之，蟨有患害也，蛩蛩距虛必負而走：此以其所能託其所不能」，此文亦見說苑復恩篇、御覽九百八引孫子，及樊汝霖注韓愈醉留東野詩（朱文公校昌黎先生集卷五）引孔叢子。道應之文，疑合韓詩外傳與呂氏春秋而成，其文當云：「東海之魚，名曰鰈（「曰」字從韓詩外傳補），比目而行；北方有獸，名曰婁，更食更候；南方有鳥，名曰鶼，比翼而飛；西方有獸（今道應「西」作「北」，從韓詩外傳改，說詳下。），其名曰蹷，鼠前而兎後，趨則頓，走則顚，常爲蛩蛩駏驉取甘草以與之，蹷有患害，蛩蛩駏驉必負而走：此以其能託其所不能。夫鳥獸魚鰈，猶知假力，而況萬乘之主乎！獨不知假天下之英雄俊士與之爲伍，豈不痛哉」。蹷之獸，詩外傳在西方，說文作蟨，云：「蟨，蟨鼠也。一曰：西方有獸，前足短，與蛩蛩巨虛比，其名曰蟨」；爾雅作比肩獸，亦在西方；唯孫子、呂氏春秋、孔叢子、說苑皆作北方。爾雅此文，郭注引呂氏春秋之文以解之，下復云：「今雁門廣武縣夏屋山中，有獸，形如兎而大，相負共行，土俗名之爲蟨鼠」，依晉書地理志，雁門郡廣武縣，卽漢之太原郡廣武縣也。周書王會篇，北方下云：「獨鹿邛邛距虛，善走也。孤竹距虛」，而孔晁注云：「獨鹿，西方之戎也」（又史記篇注同），又云：「孤竹，東北夷」，王應麟補注云：『爾雅：「觚竹在北荒」，地理志：「遼西令支有孤竹城」，括地志：「孤竹故城在平州盧龍縣南十二里」』，夢溪筆談二十四：「契丹北境有跳兎，形皆兎也，但前足纔寸許，後足幾一尺，行則用後足跳，一躍數尺，止則蹶然仆地。生於契丹慶州之地大漠中。予使虜日，捕得數兎持歸。蓋爾雅所謂蟨兎也，亦曰蛩蛩巨驉也」。沈括之言，得之目驗，其捕獲地正與古孤竹之地望相合，則北方實有此獸。英人梭厄比諜塞上探險記，謂在內蒙地區狩獵，得跳兎二，其得地一在內蒙喇嘛廟西百里，一在張家口北百里之塔布烏拉，則西方亦實有此獸也。西、北二說並是。淮南用詩外傳文，而以呂覽改其說蟨一段，然西方之說，則不可得而改也。後人以呂覽無東、北、南之文，妄爲刪去，復呂覽改「西」爲「北」，遂成今本道應之文矣。

流星色赤，名曰地鴈，其所隮者起兵。流星有光青赤，名曰天鴈，軍甲之精華也。（天中記二）

大成案晉書天文志中：「小流星色青赤，名曰地雁，其所墜者起兵。流星有光青赤，長二三丈，名曰天雁，軍中之精華也」，亦見隋書天文志中。疑天中記誤引。「軍甲」當從晉志作「軍中」，隋志但云：「軍之精華也」。

熊當心有白脂如玉，味甚美，俗呼熊白。海錄碎事六

大成案本草熊脂，陶隱居注云：「此脂即是熊白，是背上膏，寒月則有，夏月則無」。此不似淮南之文，埤雅有之。埤雅多引淮南文，碎事故誤為淮南與。抑古本淮南有熊白之文，此其注文，而今本奪之與。文選枚叔七發：「肥肉之和，冒以山膚」，銑注：「山膚，熊白」。海錄碎事引如此。今本作「雄白」。

鼈三足曰能，龜三足曰賁，食之殺人，骨肉皆化為水。丹鉛襍錄三

大成案爾雅釋魚：「鼈三足，能。龜三足，賁」，邢疏引中山經云：「游戲山東南二十里曰從山，從水出其上，潛其下，其中多三足鼈，食之無蟲疾」，又：「放皐山東五十七里曰大苦山，陽狂水出焉，西南注伊水中。多三足龜，食者無大疾，可以已腫」。依理言之，龜鼈既可食，則三足者當亦可食，故本草收之。此云食之殺人，已與山海經說異，骨肉皆化為水，吾斯之未能信。

樹柤梨橘，食之則美，嗅之則香。王楨農書九

大成案韓非子外儲說左下：「夫樹橘柚者，食之則甘，嗅之則香」，藝文類聚八十六、初學記二十八、御覽九百六十九引韓子橘上有「柤梨」二字。此疑王楨誤引。

董仲舒請雨，秋用桐木魚。初學記二、御覽十一、錦繡萬花谷後集一、紺珠集、天中記三

大成案春秋緐露求雨篇秋求雨「祭之以桐木魚九」，是其事也。唯今本淮南內篇，不言同時人之事，而外篇襍說隨志已不箸錄，不應徐堅尚見其文。

宋景公時造弓人九年乃成而進之。弓人歸家，三日而卒。蓋匠者心力盡於此弓矣。後公登獸圈之臺，用

此弓射之，矢越西霸之山，彭城之東，餘勁中矢飲羽焉。（太平廣記二百二十五、任淵注后山詩四）

大成案藝文類聚六十引闕子曰：『宋景公使弓工爲弓，九年來見，公曰：「爲弓亦遲」。對曰：「臣不得見公矣」。曰：「臣之精盡於弓矣」。獻弓而歸，三日而死』。亦見水經睢水注、又泗水注、北堂書鈔百二十五、文選左太沖吳都賦注，又鮑明遠擬古詩注、又枚叔七發注、白帖十六、御覽三百四十七、事類賦注十三、淵鑑類函二百二十五、繹史一百。此引作淮南，疑誤。「宋景公時造弓」爲句，弓下當復有弓字，「弓人九年」云云爲句，任引二弓字奪其一。廣記引無時字、人字。

曲張，弓名也。一名彷徨弓。（御覽三百四十七）

宛轉弓，今之弭弓是也。（御覽三百四十七、事類賦注十三）

大成案抱朴子雜應篇引鄭君（抱朴之師）亦云：「弓名曲張」，考藝文類聚六十引龍魚河圖曰：「弓之神名曰曲張」，御覽三百四十七引太公兵法曰：「弓神名曲張」，故弓名曲張矣。然鄭君又云：「矢名彷徨」，是彷徨之名屬矢，不屬弓也，疑御覽所引有誤。爾雅釋器：「弓有緣者謂之弓」，郭注：「緣者，繳纏之。即今宛轉也」。又：「無緣者謂之弭」，郭注：「今之角弓也」，孫炎注：「弭謂不以繳束，骨飾兩頭者也」。郭以弓爲宛轉，淮南以弭爲宛轉。說文弭字訓「弓無緣，可目解䌫紛者」，與爾雅同；別有弲字，訓「角弓也」。則許君之義，骨飾者謂之弭，角飾者謂之弲，析言之也。郭以弭爲角弓，混言之也。釋名釋兵：「弓，其末曰弭，以骨爲之，滑弭弭也」，義與爾雅、說文異。詩小雅采薇「象弭魚服」，毛傳：「象弭，弓反末也，所以解紒也」，鄭箋：「弭，弓反末彎者，以象骨爲之，以助御者。解轡紟宜滑也」，與釋名義合。然不問其義爲骨飾，抑爲弓末，皆謂不以繳束，故許謂「可目解繲紟」，毛謂「所以解紟」。郭以宛轉爲繳纏，正得厥義。淮南以弭爲宛轉，翮其反矣。御覽又引鄴中記曰：「石虎女騎皆手持雌黃宛轉角弓」，豈既以角飾，又復繳束之與?李巡注爾雅云：「骨飾兩頭曰弓，不以骨飾兩頭曰弭」，蓋以緣爲緣飾字，與諸家說異。又案此二條若非誤引，當是注文。

楚莊王通梁組纓。高誘曰：通梁，遠遊冠。（御覽六百八十五、事類賦注十二、玉海八十）

大成案藝文類聚六十七引墨子曰：「昔楚莊王鮮冠組纓，絳衣博袍，以治其國」，鮮古通解，詳鄭堂札記卷五。解冠卽解豸冠，淮南主術篇：「楚文王好服解冠」，高誘注曰：「解豸之冠，如今御史冠」。許本楚文王作楚莊王，解冠作觟冠。主術文本于墨子也。此文高注既云遠遊冠，則非主術之誤文若異文。續漢輿服志曰：「遠遊冠制如通天，有展筩橫之於前，無山述，諸王所服也」。

後世聖人見鳥獸觡胡之制，遂作纓蕤之首飾。（北堂書鈔百二十七、御覽六百八十六）

大成案事物紀原三纓下云：「董巴輿服志曰：上古衣毛而帽皮，後代聖人易之，見鳥獸冠角觡胡，遂作冠冕纓緌。淮南子亦云」。蕤卽緌字，御覽引作緌。說文：「纓，冠系也。緌，系冠纓𠂹者」，段注云：「古字或作蕤」。

軍正執豹皮，所以制正其眾。（續漢書輿服志注、宋書禮志五、爾雅翼十九、玉海七十九）

大成案續漢志：「最後一車懸豹尾，豹尾以前比省中」，古今注上云：「豹尾車，周制也。所以象君子豹變；尾言謙也。古軍正建之，今唯乘輿得建之」，故淮南云「軍正執豹皮」矣。宋志云：「徐廣車服注引淮南子云云」，續漢志作胡廣。胡、漢人、徐、晉人，故得見淮南古本。

月中有桂樹。御覽九百五十七

大成案月中有桂，高五百丈，今酉陽襍俎天咫有之，或卽本于淮南與。

月一名夜光。月御曰望舒，亦曰纖阿。初學記一、歲華紀麗三、御覽四、事類賦注一，楚辭離騷補注、離騷集傳、韻補六魚、朱公文校韓昌黎集一注、韻府群玉五歌、天中記一

大成案文選束廣微補亡詩注引云：「纖阿，月御也」。疑古本淮南中或有夜光、望舒、纖阿之名，諸書所引，蓋皆注文。

月中有物，婆娑者乃山河影也，其空處海水影。錦繡萬花谷前集二

大成案淵鑑類函二引作「月中有物者，山河影也，其空處海影」。酉陽雜俎天咫云：「或言月中蟾桂，地影也；空處，水影也」。

東方之人長一丈。御覽三百七十七

大成案地形篇：「自東南至東北方，有大人國」，時則篇：「東方之極，自碣石山過朝鮮，貫大人之國」。御覽所引，疑是地形若時則之許昚注文。

鯀堙洪水，盜帝之息壤，帝使祝融殺之羽淵。東坡息壤詩引

大成案柳宗元永州龍興寺息壤記：「昔之異書有記洪水滔天，鮌竊帝之息壤以堙洪水，帝乃令祝融殺鮌于羽郊」，潘緯音義：「山海經、啓筮云。又出淮南子」。今淮南地形篇云：「禹乃以息土塡

洪水以爲名山」，時則篇云：「以息壤堙洪水之州」，皆不言鯀。山海經海內經云：「洪水滔天，鯀竊帝之息壤以堙洪水，不待帝命。帝令祝融殺鯀于羽郊」，郭璞注引開筮曰：「滔滔洪水，無所止極，伯鯀乃以息石息壤以填洪水」。柳州所引，自是海內經文，坡公云淮南子，未知何據，豈亦想當然耳乎？潘緯云又出淮南，豈據坡公爲說耶？

以害顓民。（說文繫傳頁部）

大成案覽冥篇：「猛獸食顓民」，注：「顓，善」。藝文類聚十一、御覽七十八，通鑑外紀一包犧氏紀引覽冥篇顓並作精，注同，迺高本。今本作顓者是許本。二家文異而義同。此「以害顓民」之文，則不見今本。小徐引此文下又有「顓，謹也」三字，當是小徐自作引申語。

直木先伐，甘泉（群書通要泉作井）先竭。（藝文類聚八十八、群書通要庚集四）

王先生云：事文類聚後集二三亦引首句。淮南子多因襲莊子之文，此二句又見莊子山木篇。文子又多因襲淮南子之文，符言篇有此二句，惟作「甘泉必竭（御覽五九引必作先），直木必伐」。

大成案藝文類聚二十三引晏子亦曰：「甘泉必竭，直木必伐」。歐陽所引晏子數條，均見文子，而晏子皆無，疑所引卽文子，而誤爲晏子耳。

橫海有魚，抱大樹，能語，精名靈陽。午日稱仙人者，老樹也。（藝文類聚八十八）

大成案抱朴子登涉篇：「山中有大樹，有能語者，非樹能語也，其精名曰雲陽」（御覽八百八十六引同，九百五十二引作「靈陽」），又：「午日稱仙人者，老樹也」。彼云山中大樹能語，與此橫海之魚能語不同。稚川多見淮南。

之書，或亦有取于淮南乎？

伍子胥出走，邊候得之。子胥曰：上求我，以我有美珠也。今我已亡之矣。且曰子取之。邊候恐而釋之。讀子隨識

大成案韓非說林上：『子胥出走，邊候得之。子胥曰：「上索我者，以我有美珠也。今我已亡之矣。我且曰子取吞之」。候因釋之』，與此文略同。燕策三『張丑爲質於燕，燕王欲殺之。走，且出境，境吏得丑。丑曰：「燕王所爲將殺我者，人有言我有寶珠也。王欲得之。今我已亡之矣，而燕王不我信。今子且致我，我且言子之奪我珠而吞之。燕王必當殺子，刳子腹及子之腸矣。夫欲得之君，不可說以利。吾要且死，子腸亦且寸絕」。境吏恐而赦之』，與此事絕相類。幾亦傳聞之異乎！

伍子胥諫吳王曰：非吾喪越，越必喪吳。今將輸之粟，是長吾讎而豢吾讎也。天中記四十五

大成案吳越春秋勾踐陰謀外傳：「子胥諫曰：不可！非吳有越，越必有吳，吉往則凶來，是養生寇而破國家者也。與之不爲親，不與未成冤」，越絕書越絕請糴內傳：「申胥進諫曰：不可！夫王與越也，接地鄰境，道徑通達，仇讎敵戰之邦。三江環之，其民無所移。非吳有越，越必有吳。且夫君王兼利而弗取，輸入粟與財，財去而凶來，凶來而民怨其上，是養寇而貧邦家也。與之不爲德，不若止」。皆說此事。

鄭周之女，粉白黛黑，非知而見之者以爲神。讀子隨識

大成案楚策三張儀曰：「彼鄭周之女，粉白墨白（別本作黛黑），立於衢閭，非知而見之者以爲神」。
宋康王世，有雀生鸇，占曰：小而生大，必霸天下。（丹鉛襍錄四）

大成案宋策：「宋康王之時，有雀生鸇於城之隅，使史占之，曰：小而生巨，必霸天下。康王大喜，於是滅滕伐薛，取淮北之地。乃愈自信，欲霸之亟成。故射天笞地，斬社稷而焚滅之，曰：威服天下鬼神。罵國老諫曰（新序曰作者），爲無顏之冠以示勇，剖傴之背，鍥朝涉之脛，而國人大駭。齊聞而伐之，民散城不守，王乃逃倪侯之館，遂得而死（新序得下有病字）」，亦見新序雜事四、通鑑四周赧王二十九年。康王即宋王偃，史宋世家索隱曰：「戰國策、呂氏春秋皆以偃謚曰康王也」，荀子王霸篇稱爲宋獻，楊倞以爲國滅之後，臣子各私爲謚，故不同。又案鸇字新序同，宋策、通鑑作鱅，胡三省謂說苑作鸇。攷說苑敬慎篇曰：「昔者殷王帝辛之時，爵生烏於城之隅，工人占之曰：凡小以生巨，國家必祉，王名必倍」云云，金樓子興王篇，通志三上烏並作鸇。幾說苑古本亦作鸇乎？

龍門未闢，呂梁未鑿，河出孟門之上，大溢逆流，無有丘陵高阜滅之，名曰洪水。大禹疏通，謂之孟門。（水經河水注、莊子達生釋文、御覽四十、路史後紀夏后氏紀注）

大成案本經篇：「舜之時，共工振滔洪水以薄空桑，龍門未開，呂梁未發，江淮通流，四海溟涬。民皆上丘陵，赴樹木。舜乃使禹疏三江五湖，闢伊闕，導瀍澗，平通溝陸，流注東海」，與此文義同而文異。山海經北次三經郭注引尸子曰：「龍門未辟，呂梁未鑿，河出於孟門之上，大溢逆流，無有丘陵高阜滅之，名曰洪水」，呂氏春秋愛類篇：「昔上古龍門未開，呂梁未發，河出孟門，大溢逆流，無有丘陵沃衍平原高阜盡皆滅之，名曰鴻水。禹於是疏河決江，爲彭蠡之障，乾東土，所活者千八百國」。

磨蕭斧以伐朝菌。西溪叢語上

大成案說苑善說篇：「譬之猶摩蕭斧而伐朝菌也」，文選魏都賦劉淵林注引桓譚新論：「譬猶礳蕭斧以伐朝菌也」。

素女，黃帝時方術女。分類補注李太白詩五

大成案文選張平子思玄賦「素女撫絃而餘音兮」，舊注：「高誘淮南子注曰：素女，黃帝時方術之女也」。則蕭士贇誤以注文當正文耳。然今淮南子中亦無素女之文。

蛾蠓磑而雨，春而風。言群而上下至疾。文選張平子思玄賦善注

大成案本經篇「飛蛩滿野」，注云：「蛾蠓之屬」此注許、高同，詳校釋，故酉陽雜俎十六云：「淮南子以蛩爲蛾蠓」。蛾蠓之見于淮南者僅此。唯攷宋六臣注文選，善注無此文，當是尤袤所增，未詳其何所據也。李石續博物志一引郭璞曰：「蓬飛磑則天風，春則天雨」，與此相反。

井見而貴臣拘。同上

大成案劉敬叔異苑一：「陳郡謝晦，字宣明，宅南路上有古井，以元嘉二年，汲者忽見二龍，甚分明，行道住觀，莫不嗟異。有人入井，始知是磚隱起作龍形。泉從邊出，澆灌殊駛。後晦等皆伏法」「泉從邊出」已下今本無，从占經引，是其事也。

狐九尾者，九配得其所，子孫繁息，明後當旺也。（開元占經百十六）

大成案九尾狐見于周易乾鑿度、春秋元命苞、孝經援神契、白虎通封禪篇、周書王會篇、竹書紀年、吳越春秋越王無余外傳、海外東經、大荒東經（又南山經、東山經有獸狀如狐而九尾）、田俅子、呂氏春秋（北堂書鈔一百六、開元占經百十六、御覽八十二、又五百七十一、路史疏仡紀夏后氏注引）、金樓子興王篇、孫氏瑞應圖、王褒四子講德論、陳思王表（稽瑞引）者至多，而今本淮南無，此文亦不似內篇之文。白虎通云：「狐九尾何？狐死首丘，不忘本也，明安不忘危也。必九尾者也？九妃得其所，子孫蘩息也。於尾者何？明後當盛也」。羅振玉眼學偶得曰：『日本有李暹注千字文，暹爲六朝人，中國書之久佚者。其注「周伐殷湯」，言妲己爲九尾狐。案今里俗所傳封神演義，謂妲己爲九尾狐精。初謂向壁虛造之談，不謂六朝時已有此說也』。

八方風至，浚井取新泉，四時皆服之，非獨春也。（事類賦注四）

大成案時則篇有「服八風水」之文，高注曰：「八方風所吹也」。吳淑所注，疑是時則篇之引申語。

青出於藍。（詩采綠正義）

大成案荀子勸學篇（王念孫校）、劉子崇學篇並云：「青出於藍，而青於藍」，大戴禮勸學篇云：「青取之於藍，而青於藍」。淮南俶眞篇有「以藍染青，則青於藍」之文。

叢輕折軸，眾呼成雷。（藝文類聚二、錦繡萬花谷前集二）

大成案繆稱篇曰：「是故積羽沉舟，群輕折軸，故君子禁於微」，無「眾呼成雷」之文。魏策一張儀爲秦連橫說魏王曰：「臣聞積羽沉舟，群輕折軸，眾口鑠金，故願大王之熟計之也」，漢景十三王傳亦曰：「眾口鑠金，積毀銷骨，叢輕折軸，羽翮飛肉」。

權土炭候氣也。（感應經）

大成案天文篇云：「陽氣爲火，陰氣爲水。水勝故夏至濕，火勝故冬至燥。燥故炭輕，濕故炭重」，泰族篇云：「夫濕之至也，莫見其形，而炭已重矣」，說山、說林篇並云：「懸羽與炭，而知燥濕之氣」。疑感應經迺以意引說山、說林之文，非遺文也。依說山、說林，土當爲羽。唯漢天文志云：「冬至短極，縣土炭」，孟康曰：「先冬至三日，縣土炭於衡兩端，輕重適均。冬至而陽氣至，則炭重，夏至而陰氣至，則土重」，則土字非誤。或古本淮南自有此文而今佚之也。路史前紀八祝誦氏紀論：「聽樂均，權土炭，度晷景，候鍾律，以諧氣也」，字作「土灰」，當是誤文。

淮繩連體，權衡合德，百工繇焉，以定法式，輔弼執玉，以翼天子也。（文選沈休文齊故安陸昭王碑文注）

大成案漢律厤志上有此文。

左畫圓，右畫方。（丹鉛襍錄四）

大成案韓子功名篇：「右手畫圓，左手畫方，不能兩成」，又外儲說左下：「人莫能左畫方而右畫圓也」。

□者，山陵之精也。（萬卷菁華十六）

大成案此歁文疑當爲夔，御覽八百八十六引白澤圖曰：「山之精名夔，狀如鼓，一足而行」。字或作暉，抱朴子登涉篇：「又有山精，如鼓，赤色，亦一足，其名曰暉」（御覽引作揮）。

垂拱天下治。

大成案管子任法有此文。（北堂書鈔十五）

舜無佚民，造父無佚馬。（大戴禮盛德篇注）

大成案泰族篇：「聖主在上位，廓然無形，寂然無聲，官府若無事，朝廷若無人，無隱士，無軼民，無勞役，無冤刑，四海之內，莫不仰上之德，象主之指，夷狄之國，重譯而至。非戶辨而家說之也；推其誠心施之天下而已矣」，有「無軼民」之文，然不言舜。韓詩外傳二，新序襍事五顏淵對魯定公論東野畢御有「舜無佚民，造父無佚馬」之文。

上緣黃帝，因事而憲功，文德錫之鍾磬，武德錫之干戈，而人知鄉方矣。（路史後紀八）

大成案路史注云：「見淮南子」。今唯繆稱篇有「而民鄉方矣」五字，餘並無。

鵲知太歲之所。（廣韻十八藥）

大成案說文四上烏部：「舄，鵲也。舄者知大歲之所在」，段注曰：『淮南書曰：蟄蟲鵲巢皆向天一」。按天一謂太陰所建也。博物志曰：「鵲背太歲」。然則鵲巢開戶向天一而背歲』。案段引淮南書見氾論篇。天文篇云：「太陰首穴而處，鵲巢鄉而為戶」。廣韻此文疑以意引。酉陽襍俎十六亦云：「鵲巢背太歲」。

九十 高懸大鏡，坐見四鄰。注：取大鏡高懸之，兌水在下，兌中（御覽兌作盆，中下有「水晃」二字。）見四鄰也。（北堂書鈔百三十六、御覽七百十七、天中記四）

大成案此萬畢術文也。宋本意林引萬畢術云：「取大鏡高懸，置水盆于其下，則見四鄰矣」，卽此注文也。兩兌字並當爲盆，字之誤也。參合諸書所引，注文當云：「取大鏡高懸，置盆水于其下，盆中水見，則見四鄰也」。又書鈔鏡作鑑，迺宋人避翼祖諱改。

桐木成雲。注：取十石瓮，滿以水，置桐其中，蓋之，三四日間，氣如雲作。事類賦注二十五

大成案此亦萬畢術文也，藝文類聚八十八、御覽七百三十六、又九百五十六、天中記五十一引並作萬畢術。御覽七百三十六引瓮上有瓦字，藝文類聚、御覽九百五十六引「三四日」下無間字。

燒黿致鼉。埤雅二

大成案此亦萬畢術文也，藝文類聚九十六、御覽九百三十二、天中記五十七引並作萬畢術。藝文類聚、御覽又有注云：「取黿夜燒之，則鼉自至也」。

取牛膽塗熱釜，卽鳴矣。御覽八百九十九

大成案此萬畢術注文也，御覽七百三十六、又七百五十七引並云萬畢術，七百五十七引正文云：「牛膽鳴」，引注塗上有以字，鳴上有自字。

牛膽塗目，莫知其誰。注：取八歲黃牛膽，桂二寸着膽中，百日以成。因使巧工刻象人丈夫着目下，爲女子着頭上，爲小兒着頤下。盛以五綵囊，先宿齋，無令人知也。御覽八百九十九

大成案此與上條連引，則亦萬畢術文也。

天雄雄雞志氣益。注：取天雄三枚，內雄雞腹中，搗生食之，令人勇。御覽九百九十、萬卷菁華十二、政和經史證類本草十、本草綱目十七

七月七日午時，取生瓜葉七枚，直入北堂中，向南立，以拭面靨，卽當滅矣。（御覽三十一）

大成案已上二事均當出萬畢術。「七月七日」一條是注文，正文無可攷。

朱鼈浮於波（御覽作水）上必大雨。（御覽十、事類賦注三、廣博物志三、天中記三）

蜎使虎申，蛇令豹止，物各有所制也。（北戶錄一、御覽八百九十二、埤雅三）

國風好色而不淫，小雅怨誹而不亂。（毛詩大小雅譜正義）

大成案此淮南王離騷傳中語也，見班孟堅序及文心辨騷篇。太史公取以入屈原傳。

成相篇曰：莊子貴支離，悲木槿。（藝文類聚八十九、韻府群玉十二吻）

劉文典云：藝文類聚注云：「成相出淮南子」，是淮南王書本有成相篇，而今逸之也。漢書藝文志雜賦十二家，有成相雜辭十一篇，王應麟云：「淮南王亦有成相篇，見藝文類聚」。

大成案淮南成相篇自屬雜賦，非淮南內篇有成相篇也。淮南內二十一篇，自劉向已來無異說（或作二十篇者，不數要略篇也。），詳拙譔淮南王書考。劉說非。荀子有成相篇，出後人纂輯，與淮南自定篇目者有別。

守道順理。（文選張茂先鷦鷯賦注）

冰泮而農桑起。（文選潘安仁西征賦注、陳孔璋檄吳將校部曲文注）

天地大矣，成而弗有。（文選干令升晉紀論晉武帝革命注）

鎮撫方外。（北堂書鈔十五）

周流八丘。（北堂書鈔十六）

日行則有蹤。慧琳一切經音義一、六十

巧匠爲宮室，爲圓必以規，爲方必以矩，爲平直必以準繩。功已就矣，而不知規矩準繩，而賞巧匠。宮室已成，不知巧匠，而皆曰：某君某王之宮室也。長短經大體篇注

得之則喜，失之則悲。說文繫傳三十五

堯、舜之德，輕於鴻毛。御覽八十

浮空一坒，體具眾微，眾微從之，成一拳石，積此以往，巋然成山。黃山谷文集十六訓郭氏三子名字序、鞏豐鞏氏後耳目志

寒折膠，暑流金。經進東坡文集事略六十注

農服先疇之畎畝。韻府群玉十一尤

雨未至而礎先潤。韻府群玉六語

桀盛軍伍，立兩億，自謂天父。廣博物志十

辰乎辰，曷來之遲、去之速也！君子競諸。天中記六

季武子爲三軍，爲，作也。武子，魯卿，季文子之子季孫夙也。周禮：天子六軍，諸侯大國三軍。魯伯禽之封，舊有三軍，其後削弱，二軍而已。武子欲專公室，故欲益中軍爲三，三家各征其一。事在魯哀公十一年。叔孫穆子曰：不可。天子作師，公帥之以征不德。師謂六軍之眾。公謂諸侯爲下卿士者爲元帥也。元侯作師，卿帥之以承天子。元侯，大國之君。師，三軍之眾。大國三卿，皆命於大子。一卿命於其君。無軍，無三軍也。若元侯有事，則命卿帥其所教武衛之士，以佐元侯。禮所云次國二軍，小國一軍，謂以賦出軍從征伐。贊，佐也。自伯子男有大夫無卿，無卿，無命卿也。王制：小國二卿，皆命於其君也。帥賦以從諸侯。賦，國中出兵車甲士，以從大國諸侯。是以上能征，下無姦慝。征，正。慝，惡。今我小侯也，言小侯，削弱之日久矣。處大國之間，大國，齊、楚。繕貢賦以共從，猶懼有討。猶懼以不給見誅討。若爲元侯之所，之所，謂作三軍，元帥所爲。以怒大國，無乃不

可乎？弗從，遂作中軍。中者，明已有上下軍。自是齊、楚代討於魯，代，更。襄、昭皆入楚。襄公、昭公如楚，朝事楚也。御覽二百九十八諸侯伐秦，及涇，莫濟。魯襄十一年，晉悼公伐鄭，秦人伐晉救鄭。十四年，晉使六卿帥諸侯之大夫伐秦，至涇水，無有先渡者也。晉叔嚮見叔孫穆子曰：諸侯伐不恭而討之，及涇而止，於秦何益？何益於伐秦之事。穆子曰：豹之業及匏有苦葉矣，不知其他。業，事。匏有苦葉，詩風篇名。匏有苦葉，濟有深涉。深則厲，淺則揭。言其必濟，不知其他。叔嚮退，召舟虞與司馬。舟虞掌舟，司馬掌兵。曰：夫苦瓠不材於人，共濟而已。材若裁也。不裁於人，言不可食。共濟而已，佩匏可以渡水。魯叔孫賦匏有苦葉，必將涉矣。詩以言志。具舟除隧，不共有法。隧，道。共，具也。舟虞具舟，司馬主道。法，刑也。是行也，魯人以莒人先濟，諸侯從之。御覽三百五

文公立四年，楚成王伐宋，四年，魯僖二十七年冬也。宋背楚事晉，故楚伐之。公率齊、秦伐曹、衞以救宋，魯僖二十八年春，晉侯侵曹伐衞。傳曰：楚始得曹而新婚於衞也。宋人使門尹班告急於晉。門尹班，宋大夫。公告大夫曰：宋人告急，舍之則宋絕，舍不救，則宋降楚，與我絕。告楚則不許我。告，請。請宋於楚，楚不許我。我欲擊楚，齊、秦不欲，其若之何？同上

自大畢、伯士之終也，大畢、伯士，犬戎氏之二君。終，卒也。犬戎氏以其職來王。以其職，謂其嗣子以其貴寶來見王。天子曰：予必以不享征之，且觀之兵，享，賓服服禮。以責犬戎，而示之兵，非也。其無乃廢先王之訓，而王幾頓乎！幾，危。頓，敗。吾聞夫犬戎樹敦，樹，立。言犬戎立性惇樸。師舊德而守終純固，師，循也。純固，專一。言犬戎氏脩先王之舊德，奉其常職，天性專一，終身不移。其有以禦我矣。禦，應距也。王不聽，遂征之，得四白狼四白鹿以歸。白狼白鹿，犬戎。自是荒服者不至。穆王責犬戎，非禮。暴兵露師，傷威毀信。荒服者不至。同上

大成案已上四事，皆國語及韋解文。「季武子爲三軍」、「諸侯伐秦」二條見魯語，「文公立四年」一條見晉語，「自大畢、伯士之終也」一條見周語。御覽並誤引作淮南耳。魯語「元侯作師，卿帥之以承天子」注「大國三卿，皆命於天子」下，依今本當奪注「承天子，謂從王師征不義也。孔

子曰，天下有道，則禮樂征伐自天子出」，又正文「諸侯有卿無軍，帥教衞以贊元侯」，注「諸侯，謂次國之君。有卿，有命卿也。二卿命於天子」，凡五十有九字。

附錄一

二十五 扶桑在暘州，日所拂。注：此東方十日所出。扶桑在暘谷中，九日居下枝，一日居上枝也。（御覽九百五十五、事類賦注）

劉文典云：海外東經：「湯谷上有扶桑，十日所浴，在黑齒北，居水中。有大木，九日居下枝，一日居上枝」，郭璞傳云：『天有十日，日之數十。此云：「九日居下枝，一日居上枝」，大荒經又云：「一日方至，一日方出」，明天地雖有十日，自使以次第迭出運照』。

大成案地形篇：「扶木在陽州，日之所曊」，卽此文也。今本地形是高本，高作「扶木」，注云：「扶木，扶桑也」，卽本許本爲說，御覽、事類賦注所引，迺許本也。此文「扶桑」當作「榑桑」，「暘谷」當作「湯谷」，竝詳校釋，木有桑音，見說山篇「故桑葉落而長年悲也」拙校。劉氏誤以御覽所引爲逸文，又不見事類賦引，且誤注文爲正文，郅爲疏謬。

若天下無道，守在四夷，天下有道，守在海外。（文選東京賦薛注）

劉文典云：泰族篇：「故天子得道，守在四夷；天子失道，守在諸侯。諸侯得道，守在四鄰；諸侯失道，守在四境」。文選注所引，或卽約舉泰族篇文，而又略加更易與！

大成案劉說是也，此卽泰族篇文。左傳昭二十三年：「古者天子守在四夷；天子卑，守在諸侯。諸侯守在四鄰；諸侯卑，守在四竟」，淮南文所本也。選注一加竄改，便不可通。文子下德篇：「故天子得道，守在四夷；天子失道，守在諸侯。諸侯得道，守在四境，諸侯失道，守在左右」，則又本于淮南而失其義者也。東京賦云：「且天子有道，守在海外」，薛綜故改易淮南以就賦文耳。

濰水出覆舟山。（水經濰水注、御覽六十三）

劉文典輯山下有「蓋廣異名也」五字，云：此疑是墜形篇「濰出覆舟」注語。

吳承仕云：御覽六十三引淮南子曰：「濰水覆舟山，蓋廣異名也」，御覽所引，當是許注。說文：「濰水出琅邪箕屋山」，此云覆舟，卽箕屋異名。疑許意如是。

大成案水經注云：『濰水導源濰山。許愼、呂忱云：「濰水出箕屋山」，淮南子曰：「濰水出覆舟山」，蓋廣異名也』。其意謂濰水之源，出于濰山；而許、呂謂出箕屋山，淮南謂出覆舟山，皆廣異名也。「蓋廣異名也」五字，迺酈元語，非淮南語也。御覽轉引自水經注，誤以「蓋廣異名也」五（御覽於「淮南子曰」云上，先引水經注文十七字，知非據淮南，迺據水經注也）字屬之淮南，遂連引于下。劉、吳未見水經注，止據御覽所引，因誤以爲注語，其說非也。

楚莊王所復鷸冠。（續漢書與服志注）

大成案復鷸冠未聞，劉昭此注，在術士冠下，術士與復鷸之義亦風馬牛不相及。通典五十七云：「或曰：楚莊王解冠是也」，案主術篇「楚文王好服解冠」，太平御覽六百八十四、事類賦注十二引作「楚莊王好觟冠」，莊王之與文王，迺許、高所據本之異。御覽引文，連引許注，是許本作觟，高本作解，觟、解皆卽今獬豸字也。服涉聲誤爲復，觟涉形誤爲觲，遂不可通矣。晉志亦作復觲冠，或劉昭卽承其誤。則此非遺文，迺誤文矣。唯獬豸忠貞，觸不直者，咋不正者，故高誘注云：「解豸之冠，如今御史冠」，許昚注云：「今士冠」（御覽引士上衍力字，从吳承仕說删。）。晉志屬之術士冠，劉昭取以入注，非是。

夫心闇於道而强學不已者，譬聾者之歌，無以自樂。（御覽六百七、萬卷菁華三）

大成案原道篇：「夫內不開於中而强學問者，不入於耳而不著於心，此何以異於聾者之歌也？效人爲之，而無以自樂也。聲出於口則越而散矣」，與此文義同而文頗異。此文未知是原道之異文抑淮南之遺文。

天下有道，飛黃服皁。（海外西經注、藝文類聚九十九、開元占經百十六、御覽八百九十六、事類賦注二十一、浣花草堂詩箋十四、玉海四十八、錦繡萬花谷前集三十七、天中記五十五）

大成案覽冥篇：「昔者黃帝治天下，而力牧、泰山稽輔之，以治日月之行律，治陰陽之氣，節四時之度，正律歷之數，別男女，異雌雄，明上下，等貴賤。使强不掩弱，衆不暴寡，人民保命而不夭，歲時熟而不凶，百官正而無私，上下調而無尤，法令明而不闇，輔佐公而不阿，田者不侵畔，漁者不爭限，道不拾遺，市不豫賈，城郭不關，邑無盜賊，鄙旅之人，相讓以財，狗彘吐菽粟於路，而無忿爭之心。於是日月精明，星辰不失其行，風雨時節，五穀登熟，虎狼不妄噬，鷙鳥不妄搏，鳳皇翔於庭，麒麟游於郊，青龍進駕，飛黃服皁，諸北儋耳之國，莫不獻其貢職」，有「飛黃服皁」之文。陶方琦、葉德輝謂高本無「天下有道」四字，許本有。然此文中「天下有道」四字實無箸處也。矧藝文類聚、太平御覽、事類賦均以「天下有道，飛黃服皁」與「黃帝時，飛黃服皁」二文並引，玉海亦二文引于同卷之中，則似不當是覽冥之異文。然占經引文，接引許注云：「飛黃出西方，狀如狐，背上有角，乘之壽三千歲，伏皁櫪而食焉」，與今本高注「飛黃，乘黃也，出西方，狀如狐，背上有角，壽千歲（此句當从許注作「乘之壽三千歲」）。皁，櫪也」大同。高注每用許義，則占經所引，卽是許君覽冥之注。或者郭璞以意引如此，而唐宋已下類部之書及注家展轉稗販之與？陶、葉以「天下有道」四字有無爲許、高之異則非。

朱草堯德清平則生，舜時又生。稽瑞

大成案本經篇：「太清之治也，和順以寂漠，質眞而素樸，閑靜而不躁，推移而無故。在內而合乎道，出外而調于義，發動而成于文，行快而便于物。其言略而循理，其行侻而順情，其心愉而不僞，其事素而不飾。是以不擇時日，不占卦兆，不謀所始，不議所終，安則止，激則行。通體于天地，同精于陰陽，一和于四時，明照于日月，與造化者相雌雄。是以天覆以德，地載以樂，四時不失其敘，風雨不降其虐，日月淑清而揚光，五星循軌而不失其行。當此之時，玄元至碭而運照，鳳麟至，著龜兆，甘露下，竹實滿，流黃出而朱草生。機械詐僞，莫藏于心」，朱草生之見于今本淮南者厪此。稽瑞攸引，恐卽此文，堯也舜也，以意言之耳。

昆蟲蝡動。慧琳一切經音義三十一、三十三、三十四、四十六、五十五、六十四大成案今本原道篇云：「夫舉天下萬物，蚑蟯貞蟲，蝡動蚑作，皆知其所喜憎利害者何也」，慧琳所引，當卽此文也。高誘注彼文曰：「貞蟲，細腰之屬也」，又注說山篇曰：「貞蟲，細腰蜂，蜾贏之屬，無牝牡之合曰貞」。洪頤煊曰：『貞蟲不專是蜂。貞蟲猶言昆蟲。地形訓「萬物貞蟲，各有以生」，大戴禮易本命作「昆蟲」。昆蟲卽衆蟲也』。考家語執轡亦作「昆蟲」，與大戴同。墨子明鬼下、非樂上，孫詒讓竝有說。慧琳引淮南，皆用許昚本，此文凡六引，皆作「昆蟲」，是許本作「昆蟲」也，益可證貞蟲之爲昆蟲矣。

黃帝化天下，漁者不爭坻。文選傅長虞贈何劭王濟詩注、又張景陽七命注

劉文典云：覽冥篇：「昔者黃帝治天下，而力牧、泰山稽輔之。田者不侵畔，漁者不爭隈」。顧炎武日知錄卷二十引書用意云：『淮南子原道篇：「舜釣於河濱，期年，而漁者爭處湍瀨，以曲隈深潭相予」，爾雅注引之，則曰：「漁者不爭隈」，此略其文而用其意也』。不知爾雅釋丘注所引，乃覽冥篇文，非略原道篇文而用其意也。引書用意，古籍類肰。顧說誠是，惟舉例未安。

大成案選注所引，卽是覽冥篇文，字作坻，軒轅本紀用此文，字亦作坻。唯爾雅注及唐本玉篇阜部、御覽七十九、黃山谷次韻子瞻武昌西山詩任淵注內集五、韻府群玉十灰引仍作隈。或是許、高所據本之異。化字今本作治，唐人避高宗諱改爲化字耳。

史記蘇秦列傳：「天下之彊弓勁弩皆從韓出，谿子、少府時力、距來者，皆射六百步之外」。索隱曰：「韓又有少府所造時力、距來二種之弩。其名並見淮南子」。正義曰：「少府、時力、距來者，皆弩名，具於淮南子」。

大成案俶眞篇：「烏號之弓，谿子之弩，不能無弦而射」，此谿子之見于淮南者也。少府時力距來今淮南本並無之。距來韓策同，王念孫以爲當作距黍。見史記雜志。考阮元積古齋鐘鼎彝器款識有周距末一器，「末」字甚明，則來也，黍也，竝當爲末字之譌。

御覽五十九：「龍魚河圖曰：玄洲在北海中，地方三十里，去南岸十萬里。上有芝著玄澗，澗水如蜜味，服之長生。淮南子又載也」。

大成案玄洲，神仙傳引左吳記有之，見前。今本淮南無玄洲之文，唯地形篇「正北濟州曰成土」，括地象「濟州」作「玄洲」，豈淮南古本亦作「玄洲」乎。龍魚河圖之文，亦見海內十洲記，「三十里」作「三千里」，「芝著玄澗」作「五芝玄澗」，彼「玄洲」作「元洲」，別有「玄洲」，與此非一。

說山篇：「江出岷山，河出崐崙，濟出王屋，潁出少室，漢出嶓冢」，高誘注：「已說在地形也」

大成案今地形篇無「潁出少室」之文。

淮南襍志補正

淮南王書，儲與扈冶，精搖靡覽，觀天地之象，通古今之變，詞恉玄眇，義著富澹，漢儒以不能達其義。益以鄦、高弊擻，鈔刊譌舛，遂使奇書高閣，絕學無傳。高郵王氏生二千年後，以訓故聲均之理求之，豁然關通，箸淮南襍志二十二卷，中亦偶采公子引之及陳氏觀樓之說。真足發千古之祕，而得古人之用心。顧知者千慮，亦奚容遂無一誤；矧後出之書，又為王氏所不及見者乎。余比年頗籀淮南書，慮憲既久，丹黃盈篇，其足以補苴襍志之說者得如干事，排比鈔出，顏之曰淮南襍志補正。九京如可作也，石臞先生其不以小子為多事也夫！旃蒙單閼之歲，元正首祚之晨，章丘于大成長卿父書于枕中隱居。時鄰兒爆竹，聲徹雲衢，大地春回，又一祀矣。

原道篇

旋縣而不可究，（縣，猶小也。）

王念孫曰：諸書無訓縣爲小者，縣當爲緜，字之誤也。逸周書和寤篇曰：「緜緜不絕，蔓蔓若何」，說文：「緜，聯微也」，廣雅：「緜，小也」，故高注亦訓爲小。旋亦小也，方言：「⿰月旋，短也」，郭璞曰：「便旋，庳小貌」，⿰月旋與旋同。此言道至微眇，宜若易窮，而實則廣大不可究也。此言「旋緜」，下言「纖微」，其義一也。

于省吾曰：注及王說並誤。考上下文均兩句相對，而義各有別，如「旋緜」有小訓，下不應再言「纖微」矣；且「旋緜」不詞。「旋縣」仍應讀如字。縣、懸古、今字。周禮考工記鳧氏：「鍾縣謂之旋」，注：「旋屬鍾柄，所以縣之也」。旋縣義相屬，凡物之旋轉者，必縣諸空，而無所窒礙，上文「鈞旋轂轉」之「鈞旋」，卽墨子非命上所稱「運鈞」，亦卽「旋縣」之類。旋縣無端可尋，故曰旋縣而不可究極也。

大成謹案高注及王說固誤，于說亦未爲得。旋疑當爲浮，字之誤也。（浮誤爲游，游又誤爲旋。主術「進退周旋」，宋本旋誤游，卽其比。）鶡冠子世兵篇：「得失浮縣」，陸佃注曰：「浮縣，言無定也」，是其義也。此文之義，蓋謂浮縣無定而不可究極耳。高氏但就縣字立訓，而不知其不可通；雜志依高注誤訓，反以不誤之縣字爲誤；家思泊求深反晦，致失之鑿。

游微霧，騖怳忽，歷遠彌高以極往，（怳忽，無之象也。）經霜雪而無迹，照日光而無景，扶搖抮抱羊角而上。

王念孫曰：「悅忽」當爲「忽悅」，注內「悅忽」同。文選七發注引作「忽荒」，荒與悅通，悅與往、景、上爲韻，若作「悅忽」，則失其韻矣。

大成謹案王說是也。「忽悅」一詞，本書屢見：本篇下文「動溶無形之域，而翺翔忽芒之上」，今本芒誤區，王引之有說。又精神篇「同精於太清之本，而游於忽芒之旁」，今本芒誤區，楊樹達有說。又人間篇「翺翔乎忽荒之上，析惕乎虹蜺之間」。「忽芒」也、「忽荒」也，並與此「忽悅」同誼。又覽冥篇「手徵忽悅，不能覽其光」，又人間篇「於是使忽悅而後能得之」，注文釋此二文，誼雖微別，實亦一貫。晉書樂志上地郊饗神歌云：「祇之體，無形象，潛泰幽，洞忽荒」，下言「忽悅」，上言「無形象」，忽悅即無形象也，正與高氏此注合。吳承仕校於注文無下補形字，其說是也。

以天爲蓋，以地爲輿，四時爲馬，陰陽爲御。騶御。乘雲陵霄，與造化者俱，縱志舒節，以馳大區。可以步而步，可以驟而驟。

王念孫曰：顧氏寧人唐韻正曰：「御本作騶。騶古韻則俱反，與俱、區、驟爲韻。注『騶，御也』，御字正釋騶字。而今本爲不通音者竟改本文騶字爲御。案韻補引此正作騶」。案顧說是也。今本作御者，後人依文子道原篇改之耳。太平御覽天部八、兵部九十引此並作騶。

葉德輝曰：太平御覽八引許本作「陰陽爲騶」。

楊樹達曰：「以天爲蓋，以地爲輿，四時爲馬，陰陽爲御」，四句文義一律，以古韻模部字輿、馬、御爲韻。下文「乘雲陵霄，與造化者俱。縱志舒節，以馳大區。可以步而步，可以驟而驟」，以侯部字俱、區、騥爲韻。如顧說，則輿、馬二字失其韻矣。下文云：「以天爲蓋，則無不覆也；以地爲輿，則無不載也；四時爲馬，則無不使也；陰陽爲御，則無不備也」，輿、馬、御爲韻，故下三句亦以載、使、備爲韻。此文第一句蓋字不入韻，故彼下句覆字亦不入韻，其確證也。高注當云：「御，騶御」，脫一字耳。

劉殿爵曰：顧、楊二說，以楊說爲長。又文子各本雖作御，但道藏寶字朱弁注通玄眞經作騶。至謂今本淮南作御乃後人依文子所改，亦未足以成定論。

大成謹案顧、楊二說，誠以楊說爲長。但韻補引此文，乃在九魚騶字注，騶字必不誤矣。竊謂作騶作御，乃許、高之異同，非此是而彼非也。許本作騶，御覽、韻補所引是也。文子各本，以朱弁注本最得其眞，朱注本作騶，尤爲許本作騶之明證。作御者，高本耳。王氏謂淮南作御，系後人依文子改，非也。文子今本作御，迺後人據高本淮南改之耳。互詳拙譔文子集釋。

上游於霄雿之野，下出於無垠之門。無垠，無形狀之貌。

王念孫曰：「無垠」下有鄂字，今本正文及注皆脫去。「垠鄂」與「霄雿」相對爲文。文選西京賦「前後無有垠鄂」，李善注：「淮南子曰：『出於無垠鄂之門』，許愼曰：『垠鄂，端崖也』」，七命注同。是許本有鄂字。太平御覽地部二十：「淮南子曰：『下出乎無垠鄂之門』，高誘曰：『無垠鄂，無形之貌也』」，是高本亦有鄂字。

葉德輝曰：唐本玉篇吅部引許本作「出于無垠咢之門」，並引許注：「無垠咢，無形兆端之皃也」

。文選張衡西京賦注引作「垠堮，端崖也」，張景陽七命注引作「垠堮，端厓也」，與玉篇所引不同，疑選注有節刪。堮、鍔與引文不應，蓋因聲近而譌。

大成謹案楚辭遠遊補注、杜甫萬丈潭詩蔡夢弼箋（浣花草堂詩箋十七）引此，垠下亦並有鄂字，引許注亦作「垠鄂，端崖也」。（楚辭補注引注文作鍔，與文選西京賦注引同。）許本此文當作咢，說文十三下土部：「垠，地垠咢也」，（咢字近本奪，從段校補。）可證。西京賦注、遠遊補注引作鍔，七命注引作堮，杜詩注及御覽引高本作鄂，皆借字也。

四支不動，

王念孫曰：動當爲勤，字之誤也。脩務篇「四胑不勤」，即其證。

劉殿爵曰：脩務篇亦作動，惟文子自然篇作「四體不勤」。王氏蓋誤以文子自然篇爲修務篇文。

大成謹案王說是也。論語微子篇亦有「四體不勤」之文。劉氏謂王氏誤以文子自然篇爲脩務篇文，非也，劉績本、王鎣本脩務篇皆作勤。顧氏廣圻於脩務篇亦謂未詳王據何本，蓋皆未見劉、王之本耳。

以其無爭於萬物也，故莫敢與之爭。

王念孫曰：「莫敢」本作「莫能」，此後人依文子道原篇改之也。唯不與物爭，故莫能與之爭，所謂柔弱勝剛彊也。若云莫敢，則非其指矣。下文曰：「攻大礦堅，莫能與之爭」，老子曰：「夫唯不爭，故天下莫能與之爭」，又曰：「以其不爭，故天下莫能與之爭」，皆其證也。魏徵群書治要引此正作「莫能與之爭」。

大成謹案王說是也。文子道原篇「功大靡堅，故莫能與之爭」，又自然篇「不爭，故莫能與之爭」，又上仁篇「不爭，即莫能與之爭」，並作「莫能」。本書道應篇引老子曰：「夫唯不爭，故天下莫能與之爭」，鶡冠子王鈇篇「易一，故莫能與爭先」，字亦並作「莫能」。

昔者夏鯀作三仞之城，諸侯背之。

王念孫曰：「三仞」，藝文類聚居處部三、太平御覽居處部二十並引作「九仞」，是也。初學記居處部引五經異義曰：「天子之城高九仞，公侯七仞，伯五仞，子男三仞」。此謂鯀作高城，而諸侯背之，則當言九仞，不當言三仞也。

陶方琦曰：大藏音義九十二引作「九仞」。

鄭良樹曰：事物紀原八引亦作「九仞」。

大成謹案玉海百七十三引亦作「九仞」。通鑑外紀一帝堯紀曰：「鯀作九仞之城」，知劉道原氏所見淮南必作「九仞」也。大藏音義引此文在九十三，陶氏失檢。音義又引世本曰：「鯀作城」，呂氏春秋君守篇亦云：「夏鯀作城」，但行論篇云：「堯以天下讓舜。鮌為諸侯，怒於堯曰：『得天之道者為帝，得地之道者為三公。今我得地之道，而不以我為三公』，以堯為失論。欲得三公，怒其其本作甚，從王念孫校改。猛獸，欲以為亂，比獸之角能以為城，舉其尾能以為旌」云云，亦見論衡率性篇。則鯀實不作城。路史後紀一太昊紀注曰：「世本諸書皆言鯀置城郭，非也。世本蓋因呂氏春秋言鯀以尾為城而誤之。呂氏之說，特狀鯀之兇惡爾」。

欲寅之心亡於中，則飢虎可尾，何況狗馬之類乎！

王念孫曰：「欲寅之心」，寅當爲宍，字之誤也。宍與肉同。「欲肉」者，欲食肉也。諸本及莊本皆作「欲害之心」，害亦宍之誤。文子道原篇亦誤作害。劉績注云：「古肉字」，則劉本作宍可知，而今本亦作害。蓋世人多見害，少見宍，故傳寫皆誤也。

顧廣圻曰：宋本作宍，是。

楊樹達曰：「欲肉」不辭，他書亦絕未見。欲、害對文，害字是也。

大成謹案楊說是也。繆稱篇「鷹翔川，魚鼈沉，飛鳥揚，必遠害也」，許注云：「鷹懷欲害之心，故鳥魚知其情實，故遠之」，許注云云，正釋正文「遠害」二字。許彼注「欲害之心」，與此文同，當本此文爲說也。孟子盡心下：「人能充無欲害人之心，而仁不可勝用也」，即此「欲害之心」也。文字道原篇正作「欲害之心」，默希子注云：「夫欲害忘於中者，雖踐飢虎之尾，處暴人之前，終無患者」，文義何等明白！苟如王說，定爲「欲肉之心」，則「欲肉」者，欲食飢虎之肉乎？人而欲食飢虎之肉，亦尟聞矣。文子杜道堅纘義云：「執機械逐飢虎，幾不免虎口之患。惟我無機心，虎亦無傷焉」，所謂「欲害之心」，即「機心」也，亦即上文「機械之心」也。列子黃帝篇曰：「海上之人有好漚鳥者，每旦之海上，從漚鳥游。漚鳥之至者百住而不止。（張湛注：「住當作數」。）其父曰：『吾聞漚鳥皆從汝游，汝取來，吾玩之』。明日之海上，漚鳥舞而不下也」，可爲此文註脚。海上之人之父但欲取漚鳥而玩之耳，何嘗欲食其肉也？害字是也。宋本「欲宍之心」，今本「欲寅之心」

，宍、寅並害字之誤，當據文子正之。

脩道理之數，因天地之自然。

王念孫曰：脩當爲循，隸書循、脩二字相似，故循誤爲脩。「循道理」，「因天地」，循亦因也。若作脩，則非其指矣。太平御覽地部二、居處部八引此並作循，文子道原篇亦作循。

大成謹案王說脩當爲循，其言是也。長短經卑政篇引亦作循。唯循之與脩，字形相近，楷、草、篆皆然，不啻于隸。論語公冶長篇「夫子之文章，可得而聞也」，集解云：「文彩形質著見，可以耳目循」，皇本循作修，修古通脩，故亦常相亂耳。何晏之時，鈔書已不用隸。文子道德篇「使桀紂修道行德」，今本修誤爲循，文子僞書，不得早至兩漢，胡適之先生謂今本文子僞於西漢，其說非是。知二字之相混，蓋不限於隸之形近也。互詳拙箸文子符言篇「循其所已有」集釋。

故橘樹之江北，則化而爲枳，鴝鵒不過濟，貈度汶而死。見於周禮。

王念孫曰：枳本作橙，此後人依考工記改之也。不知彼言「橘踰淮而北爲枳」，此言「樹之江北則爲橙」，義各不同。注言「見周禮」者，約舉之詞，非必句句皆同也。埤雅引此作「化而爲枳」，則所見本已誤。文選潘岳爲賈謐贈陸機詩「在南稱甘，度北則橙」，李善注引淮南曰：「江南橘樹之江北，化而爲橙」，藝文類聚、太平御覽果部橘下並引考工記曰：「橘踰淮而北爲枳」，又引淮南曰：「夫橘樹之江北，化而爲橙，御覽橙下引淮南同。然則考工作枳而淮南作橙明矣。晉王子升甘橘贊曰：「異分南域，北則枳橙」，此兼用考工與淮南也。

王先生叔岷曰：記纂淵海九二引枳正作橙。

劉文典曰：考工記、埤雅字並作枳，卽枳字不誤之證。此文以枳、濟、死爲韻，作橙則失其韻矣。列子湯問篇：「渡淮而北，而化為枳焉」，與此文正同；說苑奉使篇：「江南有橘，齊王使人取之，而樹之於江北，生不爲橘，乃爲枳」，韓詩外傳十：「王不見夫江南之樹乎，名橘，樹之江北，則化爲枳」，晏子春秋雜下篇云：「嬰聞之：橘生淮南則爲橘，生于淮北則爲枳」，皆可證枳字不誤。王說失之。

大成謹案作橙作枳，兩皆是也。李善引此文以解潘岳詩正文橙字，御覽卷九百七十一引此在橙下，藝文類聚八十六、御覽九百六十六。橘下引此與考工記並擧，已上並襍志所引。事類賦二十七橘賦曰：「亦度江而作橙」，注引此文亦作橙。知唐宋人所見淮南，確然有作橙者矣。說文六上木部於橘字下，緊承之以「橙，橘屬」，是許君亦以橘、橙同醜，殆卽以淮南此文爲本也。上引各書，其時代咸及見許君淮南之本，然則作橙者，許本耳。呂氏春秋本味篇「江浦之橘」，高注云：「浦，濱也，橘所生也，生江北則爲枳」，高注云云，知所據淮南本作枳，故此注云「見於周禮」也。然則埤雅十三引作枳者，與今本合，非誤，迺據高本耳。御覽九百五十二引亦作枳，與九百六十六、九百七十一異者，自是所據本有許、高之不同，非自相乖戾也。劉氏所引諸書作枳，以明枳字弗誤不如王氏所校則可，謂足以定枳是而橙非，蓋猶有所未足。楚辭橘頌曰：「后皇嘉樹，橘徠服兮，受命不遷，生南國兮」，橘之生南而不可遷，固也；至其遷北而化爲橙化爲枳，則莫有一定。雜志謂枳本作橙，固是所見有偏，劉氏必謂橙是誤字，亦緜周禮先入之見使然。

俶眞篇

若鍾山之玉，炊以鑪炭，三日三夜，而色澤不變。

王念孫曰：炊當爲灼，字之誤也。玉可言灼，不可言炊。藝文類聚寶部上、太平御覽珍寶部四引作炊，皆後人依誤本改之。其御覽地部三引此正作灼，白帖七同。呂氏春秋士容篇注亦作「燔以爐炭」，燔亦灼也。

劉文典曰：呂氏春秋正己篇高注引此文亦作「燔以爐炭」，與士容篇注同。是高氏所見本作燔。炊固非，灼亦未必是。

大成謹案劉說未必是，王說未必非也。說文繫傳一玉部瑾字注、王十朋集註分類東坡詩卷十八和子由題孔平仲草庵次韻詩程縯注、又卷二十送蔡冠卿知饒州引宋援注、施元之注蘇詩卷四送蔡冠卿知饒州、又卷十九和子由寄題孔平仲草庵引此文，字並作灼。或者灼之與燔，亦有許、高之異乎。又案白帖引此文注在卷二，今本白孔六帖引迺在卷七。昔人不見眞白帖，誤以今本白孔六帖當白帖，故王氏云然。案白帖暨孔續六帖本皆三十卷，後人合而一之，析爲百卷，玉海所載已然，則宋本已如是也。唯傅沅叔舊藏宋本白帖分三十卷，猶存香山之舊。坿箸于此，下不復辯。

雲臺之高，墮者折脊碎腦，而蟁蝱適足以翺翔。蟁蝱微細，故曰翺翔而無傷毀之患。

王念孫曰：「適足以翺翔」，高注「翺翔而無傷毀之患」當作「翾飛而無傷毀之患」。說文：「翾（許緣反），小飛也」，原道篇曰：「跂行喙息，蠉飛蝡動」，蠉與翾同。下文曰：「飛輕微細者，猶足以脫其命」，「飛輕」二字，正承翾字言之。若「翺翔」則爲鳥高飛之貌，蟁蝱之飛，可謂之翾，不可謂之翺翔也。又下文「雖欲翺翔」，高注曰：「翺翔，鳥之高飛。翼上下曰翺，直刺不動曰翔」；而此注不釋「翺翔」之義，則正文本無「翺翔」二字明矣。藝文類聚蟲豸部引此正作「蟁蝱適足以翾」。

大成謹案王說未必是。鶡冠子天權篇曰：「夫蚊䖟墜乎千仞之谿，乃始翺翔而成其容。牛馬墜焉，碎而無形」，正與此文同義。陸佃于彼文注曰：「成其翺翔之容。高飛曰翺，布翼不動曰翔」；大戴禮夏小正八月：「白鳥者，謂蚊蚋也。其謂之鳥也，重其養者也。有翼者爲鳥」，蟁蝱既有翼可以偁鳥，則曰翺翔也何不可之有！蟁蝱而曰翺翔，正莊生齊物之恉，矧高注亦明出「翺翔」二字也。至高氏于下文迺釋翺翔之誼，而此文不釋者，此在本書，亦所在多有，未可執此以定斯文之是非也。王說泥，不可從。

若夫眞人，則動溶于至虛，而游于滅亡之野，騎蜚廉而從敦圄，馳於方外，休乎宇內，燭十日而使風雨，臣雷公，役夸父，妾宓妃，妻織女。

王念孫曰：「方外」道藏本作「外方」，各本皆作「方外」，乃劉績依文子精誠篇改之。「宇內」當爲「內宇」，（「內宇」猶「宇內」也，若「谷中」謂之「中谷」，「林中」謂之「中林」矣。）「內宇」與「外方」相對爲文，宇與野、圄、雨、父、女爲韻。若作「宇內」，則失其韻矣。

鄭良樹曰：王說疑非。莊子大宗師曰：「孔子曰：彼遊方之外者也，而丘遊方之內者也」，疏曰：「方，區域也。彼不爲教迹所拘，故遊心寰宇之外」，則「方外」與「宇內」乃對稱之詞也。疏言「寰宇之外」，乃「宇內」之反言。漢書路溫舒傳「暴骨方外，以盡臣節」，又吾丘壽王傳「宇內日化，方外鄉風」，字亦作「方外」、「宇內」。蓋古人習用之詞也。各本皆如此，道藏本亦如此。王氏所見者爲「外方」，並據以校「宇內」當作「內宇」，誤。劉家立集證本、劉文典集解本據而改之，謬之甚矣。

大成謹案鄭說是也。「方外」二字，本書習見：本經篇「德澤施于方外」，主術篇「神諭方外」，並可證文不當作「外方」。景宋本亦作「方外」，豈亦劉績所得而改之乎！王氏所見，蓋非藏本之眞，迺道藏輯要翻藏本也。見劉殿爵氏讀淮南鴻烈解校記道應篇。又案集解本仍作「宇內」，唯「方外」從王說改爲「外方」。

夫牛蹏之涔，無尺之鯉；塊阜之山，無丈之材。所以然者何也？皆其營宇狹小而不能容巨大也。

莊逵吉曰：御覽引作「牛蹏之涔，無徑尺之鯉；魁父之山，無營宇之材」，無下「營宇」二字。

王念孫曰：此御覽誤，非今本誤也。「尺之鯉」、「丈之材」，相對爲文。若作「營宇之材」，則文不成義，且與上句不對。營宇狹小，所以不能容巨大，若無「營宇」二字，則文義不明。鈔本御覽作「牛蹄之涔，無徑尺之鯉；魁父之山，無丈之材。營宇狹小而不能容巨大也」，尺上有徑字，乃後人不識古文辭而妄加之，後人以「尺之鯉」文義未足，故加一徑字，此未識古人句法也。原道篇曰：「聖人不貴尺之璧，而重寸之陰」，呂氏春秋擧難篇曰：「尺之木必有節目，寸之玉必有瑕適」，屬句並與此同。加一徑字，則與下句不對矣。其「無丈之材」及「營宇狹小」，則皆與今本同。藝文類聚山部上引作「牛蹄之涔，無尺之鯉；鱝府之山，無丈之材：皆其營宇狹小而不能巨大也」，正與今本同。

鄭良樹曰：王校非也。此當作「牛蹏之涔，無徑尺之鯉；塊阜之山，無尋丈之材」。鈔本太平御覽作「無徑尺之鯉」，不誤。劉本作「無尺寸之鯉」，蓋因脫徑字而補寸字爾。御覽鱗介部八引作「無盈尺之鯉」，亦可證無下必有二字之詞。「無丈之材」當作「無尋丈之材」，「尋丈」與「徑尺」相對爲文。韻府羣玉十二引作「無尋丈之林」，林爲材之譌。是其證。記纂淵海五六引作「無十丈之材」，太平御覽作「無營宇之材」，「十丈」、「營宇」並爲「尋丈」之誤，無下並有二字之詞，必不誤矣。各本並脫尋字，王氏據之而謂「徑尺」當作尺，非也。藝文類聚七、記纂淵海五七引此亦並脫徑與尋二字。王氏又以爲徑字乃後人不識古文句法而妄加者，且援二例以明之。本書氾論篇曰：「醉者俛而入城門，以爲七尺之閨；超江淮，以爲尋常之溝：酒濁其神也」，泰族篇曰：「太山不可丈尺也，江海不可斗斛也」，「七尺」與「尋常」，「丈尺」與「斗斛」，並與此文同例，文句兩兩相對也。王氏之說，不可必矣。

大成謹案王說綦是，莊、鄭之說並非。王氏言「未識古人句法」者，蓋謂尺寸字爲聯緜形況之詞者習見，爲單詞形況之字者罕覯也；非謂形況尺寸者必單詞也。若「徑尺」、「尋常」諸詞，俛拾卽是，何煩舉證！藝文類聚、記纂淵海引無徑、尋二字，鄭君已言之矣；讀子隨識、喻林二十四引亦並無，史容注黃山谷長句謝陳適用惠送吳南雄所贈紙詩山谷外集十、丹鉛續錄八引上句，亦並作「尺之鯉」下句未引。，無徑字。韻府羣玉四紙尺字注引亦無徑字，並可證成王說。「皆其營宇狹小而不能容巨大也」，讀子隨識無也字、喻林引並同，莊說疏矣。

施及周室之衰，澆淳散樸，雜道以僞，儉德以行，雜，粈。而巧故萌生。

王念孫曰：雜當爲離，字之誤也。莊子繕性篇「德又下衰，澆淳散樸，離道以善，險德以行」，此正淮南所本；文子作「離道以爲僞，險德以爲行」，又本於淮南。然則原文作「離道」明矣。高注訓雜爲粈，則所見本已誤作雜。

大成謹案此亦許、高所據本之異，許作離而高作雜也。文子用許本，故其字作離耳。然高本固非是。

周室衰而王道廢，儒、墨乃始列道而議，分徒而訟。於是博學以疑聖，華誣以脅衆。博學楊、墨之道，以疑孔子之術。

王引之曰：疑讀曰擬。「博學以擬聖」，謂博學多聞，以自比於聖人也。鄭注周官司服曰：「疑之言擬也」；史記平準書「人徒之費，擬於南夷」，漢書食貨志擬作疑。文子作「狙學以擬聖」，是其證。莊子天地篇「博學以擬聖，於于以蓋衆」，即淮南所本也。高說失之。

大成謹案此文許本作擬，高本作疑，故文子作擬，而高就疑字立說也。墨可以疑孔子之術，儒烏乎可！高說之謬，又不但疑之一字矣。列子黃帝篇「用志不分，乃疑於神」，莊子達生篇作「乃凝於神」，疑、凝並當讀爲擬，王先生叔岷說。列子湯問篇「皓然疑乎雪」，疑亦當讀爲擬。

水之性眞清，而土汨之；人性安靜，而嗜欲亂之。

王念孫曰：眞字於義無取，疑後人所加。太平御覽方術部一引此作「夫水之性清，而土汨之；人之性安，而欲亂之」，於義爲長。呂氏春秋本生篇云：「夫水之性清，土者抇之，故不得清；人之性壽，物者抇之，故不得壽」，抇與汩同。

王先生曰：王說是也。孔叢子抗志篇：「夫水之性清，而土壤汩之；人之性安，而嗜慾亂之」，劉子新論防慾篇：「水之性清，所以濁者，土渾之也；人之性貞，所以邪者，慾眩之也」，亢倉子全道篇：「水之性清，土者滑之，故不得清；人之性壽，物者滑之，故不得壽」，咸可證此文貞字爲後人所加。又案御覽方術部一引此文作「夫水之性清，而沙土汩之；人之性安，而嗜欲亂之」，王氏所見者異，未知何據。

大成謹案雜志謂貞字後人所加，是也。然所引御覽，迺是鈔本，詳前「牛蹏之涔，無尺之鯉」條雜志校語。似弗若宋蜀本之佳勝。此文當從王先生所引御覽作「夫水之性清，而沙土汩之；人之性安，而嗜欲亂之」。本書齊俗篇「河水欲清，沙石濊之；人性欲平，嗜欲害之」，文子道原篇「水之性欲清，沙石穢之；人之性欲平，嗜欲害之」，又上德篇「河水欲清，沙土穢之」，「人性欲平，嗜欲害之」，又下德篇「人性欲平，嗜欲害之」，清上並無貞字，欲上並有嗜字，「沙土」或作「沙石」，與孔叢子之「土壤」，並聯緜名身。此文以清對安，平亦安也。「沙土」對「嗜欲」，自安下誤衍靜字，後人遂妄於清上增貞字以耦之，而土上又奪沙字，唯御覽尚存其舊也。

耳目之於聲色也，口鼻之於芳臭也。

王念孫曰：下句本作「口鼻之於臭味」，謂口之於味，鼻之於臭也。後人誤讀臭爲腐臭之臭，而改

「臭味」爲「芳臭」，則與口字義不相屬矣。太平御覽引此正作「鼻口之於臭味」。

王先生曰：王校是也。劉子新論清神、防慾二篇並作「鼻口之於芳味」，蓋易臭爲芳耳。

大成謹案宋本御覽引此文，仍作「芳臭」，與王氏雜志所引異。唯以上句準之，此當作「鼻口之於臭味」，御覽所引正作「鼻口」，文子九守守清同，與劉子合。今本誤到。

天文篇

天墜未形，馮馮翼翼，洞洞灟灟，故曰太昭。馮翼、洞灟，無形之貌。道始于虛霩。

王引之曰：書傳無言天地未形名曰「太昭」者，「馮翼」、「洞灟」亦非昭明之貌。「太昭」當作「太始」，字之誤也。易乾鑿度曰：「太始者，形之始也」，太平御覽天部一引張衡元圖曰：「元者，無形之類，自然之根，作於太始，莫之與先」，是太始無形，故天地未形謂之太始也。「道始於虛霩」當作「太始生虛霩」，即承上文「太始」而言。王逸注楚辭天問曰：「太始之元，虛廓無形」，廓與霩同。正所謂「太始生虛霩」也。後人以老子言道「先天地生」，故改「太始生虛霩」爲「道始於虛霩」，而不知與「故曰太始」句文不相承也。御覽引此作「道始生虛霩」，太字已誤作道，而生字尚不誤。

王先生曰：記纂淵海一引生字亦不誤。

大成謹案襍志說是也。太始之名，書傳多有，皆言天地未形之誼。三墳書「混沌爲太始，太始者，元胎之萌也」。說郛卷二古典錄略引。亦見今本古三墳太古河圖代姓紀。廣雅釋天「太始，形之始也」，列子天瑞「太始者，形之始也」，並與易乾鑿度合。乾鑿度引見周易正義論易之三名，白虎通天地篇引作「形兆之始也」，兆字當衍。楚辭天問「遂古之初」，王注：「言往古太始之元，虛廓無形」，卽用淮南此文，字作「太始」，更其證矣。「太始生虛霩」，羣書通要甲集一引生字亦不誤。

宇宙生氣，氣有漢垠。

王念孫曰：此當爲「宇宙生元氣，元氣有涯垠」，下文「淸陽爲天，重濁爲地」，所謂「元氣有涯垠」也。今本脫去兩元字，涯字又誤爲漢。太平御覽天部一元氣下引此正作「宇宙生元氣，元氣有涯垠」。

王先生曰：記纂淵海引「宇宙生氣」句，氣上亦有元字。

大成謹案羣書通要引「宇宙生氣」句，氣上亦有元字。

積陽之熱氣生火，火氣之精者爲日。積陰之寒氣爲水，水氣之精者爲月。

王引之曰：「積陽之熱氣生火」，「積陰之寒氣爲水」，本作「積陽之熱氣久者生火」，「積陰之寒氣久者爲水」，言熱氣積久則生火，寒氣積久則爲水。今本無「久者」二字，後人刪之也。初學記天部上、太平御覽天部四並引此云：「積陰之寒氣久者爲水」，隋蕭吉五行大義辨體性篇引此云：「積陽之熱氣反者爲火，積陰之寒氣反者爲水」，藝文類聚天部上引此云：「積陰之寒氣大者爲水」，反與大皆久字之誤，則原有「久者」二字明矣。

鄭良樹云：王說是也。北宋本、道藏本「積陰之寒氣爲水」並作「積陰之寒氣者爲水」，句中有者字，可證本當作「久者」，事文類聚前集二引亦有「久者」二字，是其證。

大成謹案杜預春秋序正義引「積陰之寒氣久者爲水」，亦有「久者」二字。

天地之含氣，和者爲雨。

王念孫曰：劉本刪去天字，而莊本從之。案藝文類聚天部下引曾子曰：「天地之氣，和則雨」，當依道藏本作「天地」。

王先生叔岷曰：宋本、朱本並作「天地」，與道藏本合。

大成謹案羣書通要甲集二引此文，亦作「天地」。

月者，陰之宗也。是以月虛而魚腦減。

王念孫曰：虛當爲虧，字之誤也。虧字脫去右半，因誤而爲虛。埤雅引此已誤。月可言盈虧，不可言虛實。太平御覽鱗介部十三引此正作「月虧」。藝文類聚天部上、御覽天部四引此並作「月毀」，蓋許慎本。毀亦虧也。

大成謹案王說虛當爲虧，是也。謂作毀者蓋許慎本，則大謬也。考御覽鱗介部十三卷九百四十一所引是許愼本，其字作虧，則作毀者始是高誘本矣。今本天文篇雖系高注，而字作虛者，後人據許本改之而缺壞也。本書往往如此，前後屢見，無足異者。御覽九百三十五引此亦作毀，御覽四引呂氏春秋同。今本呂氏春秋無此文。

不周風至，則脩宮室，繕邊城。廣莫風至，則閉關梁，決刑罰。罰刑疑者，於是順時而決之。

王念孫曰：「決刑罰」本作「決罰刑」，故高注云：「罰刑疑者，於是順時而決之」。下文曰：「斷罰刑」，時則篇曰：「休罰刑」，又曰：「斷罰刑」，皆其證也。太平御覽時序部十二引此亦作「斷罰刑」。刑與城爲韻，若作「刑罰」，則失其韻矣。

大成謹案王校是也。五經通義、通卦驗並有此文，皆作「斷大刑」，刑亦與上文城字爲韻。

陰氣極則下至黃泉，北至北極，故不可以鑿地穿井。

王念孫曰：太平御覽地部三十二引此作「鑿池穿井」，於義爲長。

大成謹案廣博物志四引地亦作池。

兩維之間，九十一度也自東北至東南爲兩維。匝四維三百六十五度。一度者二千九百三十二里。**十六分度之五。**

王念孫曰：「九十一度十六分度之五」作一句讀。其高注「自東北至東南」云云，本在「十六分度之五」下，道藏本誤入九十一度下，度下又衍也字，遂致隔斷上下文義。劉績本刪去也字，是也。

大成謹案王說是也，楚辭遠遊補注引此，正無也字。錢塘補注本、莊本並無，集解、集證並從之矣。

女夷鼓歌以司天和，以長百穀禽鳥草木。

王念孫曰：「禽鳥」當爲「禽獸」，藝文類聚歲時部上引作「以養百穀禽獸草木」，太平御覽時序部四、百穀部一並引作「以長百穀禽獸草木」，是其證。

鄭良樹曰：王說是也。天中記四引「禽鳥」亦作「禽獸」。

大成謹案事類賦注四引亦作「禽獸」。

至于昆吾，是謂正中。至于鳥次，是謂小還。至于悲谷，是謂餔時。至于女紀，是謂大還。

王念孫曰：「小還」、「大還」當爲「小遷」、「大遷」，字之誤也。遷之爲言西也。日至昆吾，謂之正中。至鳥次則小西矣，故謂之小遷；至女紀則大西矣，故謂之大遷。漢書律厤志曰：「少陰者，西方。西，遷也，陰氣遷落物」，白虎通義曰：「西方者，遷方也，萬物遷落也」，是遷與西同義。若作「小還」、「大還」，則義不可通矣。舊本北堂書鈔天部一及藝文類聚、初學記天部上、太平御覽天部三引此並作「小遷」、「大遷」。

大成謹案王說是也。事類賦注一、海錄碎事一、書敍指南十三、羣書通要甲集一、稗史彙編二引二還字亦並作遷。

至于淵虞，是謂高春。（淵虞，地名。）

王念孫曰：「淵虞」當作「淵隅」，（注同）隅、虞聲相亂，又涉下文「虞淵」而誤也。桓五年公羊傳疏、舊本北堂書鈔及藝文類聚、初學記、太平御覽引此並作「淵隅」。楚辭天問補注引此亦作「淵隅」，則南宋本尚不誤。

王先生曰：事文類聚前集二引此亦作「淵隅」。

鄭良樹曰：錦繡萬花谷前集一引「淵虞」作「隅泉」，蓋本作「淵隅」，承唐人諱淵爲泉，又誤倒爲「隅泉」耳。

大成謹案柳宗元柳州寄丈人周韶州詩潘緯音義、韻府羣玉二冬春字注引亦作「淵隅」。李石續博物志一、能改齋漫錄六、羣書通要、稗史彙編引作「泉隅」，與藝文類聚、初學記同。紺珠集引作「東隅」，東字爲泉字之誤。事類賦注引作「隅泉」，與御覽、萬花谷同誤到。景宋本正文雖誤虞，而注文作隅，尚存其舊也。

至于蒙谷，是謂定昏。

王念孫曰：至本作淪，此涉上文諸至字而誤也。淪，入也，沒也。「淪於蒙谷」與上「出於扶桑」相對。舊本北堂書鈔及藝文類聚、初學記、太平御覽引此並作淪，楚辭補注同。

王先生曰：事文類聚前集二、合璧事類前集一、天中記一引至亦並作淪。

大成謹案事類賦注、續博物志、柳宗元天對潘緯音義、羣書通要引至亦作淪。許、高二家，當無異也。

未，昧也。

王念孫曰：昧本作味，後人以漢書律麻志云：「昧薆於未」，故改味爲昧。不知淮南自訓未爲味，與漢書不同也。五行大義論支幹名篇及太平御覽引淮南並云：「未者，味也」，白虎通義及廣雅並云：「未，味也」，說文：「未，味也，六月滋味也」，（六月下有脫文。）史記律書：「未者，味也，言萬物皆成，有滋味也」，義並與淮南同。

大成謹案晉書樂志上亦云：「未者，味也，言時萬物向成，有滋味也」。竊以爲史記、晉書之文，不獨可正淮南之誤，抑亦可以補說文之闕奪。

道曰規始於一。

王念孫曰：「曰規」二字與上下文義不相屬，此因上文「故曰規生矩殺」而誤衍也。宋書律志作「道始於一」，無「曰規」二字。

大成謹案五行大義論律呂篇引此作「數始於一」，亦無「曰規」二字。

天地三月而爲一時，故祭祀三飯以爲禮，喪紀三踊以爲節，兵重三罕以爲制。

王念孫曰：重、罕二字義不可通，重當爲革，「祭祀」、「喪紀」、「兵革」皆相對爲文。罕當爲軍。言兵革之事，以三軍爲制也。

鄭良樹曰：王校極是。喻林九七引罕正作軍。

大成謹案王校革字是。五行大義引罕作令，三令，卽史記孫武列傳之「三令五申」也。

姑洗生應鍾，比於正音，故爲和。應鍾，十月也。與正音比，故爲和。應鍾生蕤賓，不比於正音，故爲繆。

王引之曰：比讀如易比卦之比。比，入也，合也。閔元年左傳曰：「屯固比入」，又曰：「合而能固」，是也。「比於正音，故爲和」本作「不比於正音，故爲和」，注內「與正音比」本作「不與正音比」。「不比於正音」者，不入於正音也。言應鍾是宮之變音，故不入於正音；不入於正音，則命名當有以別之，故謂之曰和。和者，言其調和正音也。蕤賓是徵之變音，故亦不入於正音；不入於正音，則命名當有以別之，故謂之曰繆音目。繆之言穆。穆亦和也，言其調和正音也。漢書楊雄傳甘泉賦說風聲曰：「陰陽淸濁穆羽相和兮，若夔牙之調琴」，穆與繆同。穆在變音之末，言穆而和可知矣，羽在正音之末，言羽而宮商角徵可知矣。變聲與正聲相調和，故曰「穆羽相和」。以律管言之，則變宮爲和，變徵爲穆；以琴弦言之，則當以少宮爲和，少商爲穆。琴亦有和、穆二音，故曰：「穆羽相和，若夔牙之調琴也」。然則變音之繆，本與穆同，而穆之命名，正取相和之義明矣。後人誤讀繆爲紕繆之繆，以爲和與繆相反，遂於「應鍾不比於正音」句刪去不字，以別於蕤賓，幷注中不字而亦刪之。古訓之不通，其勢必至於妄改矣。宋書律志正作「姑洗生應鍾，不比於正音，故爲和」，載注文正作「不與正音比」，晉書厤志引淮南王安曰：「應鍾不比正音，故爲和」，足證今本之謬。

大成謹案孟子離婁上正義亦引淮南王安云：「應鍾不比正音，故爲和」。當是轉引晉志之文。

音以八相生，故人脩八尺，尋自倍，故八尺而爲尋。

王引之曰：此文不可通。人脩八尺，尋自倍則丈六尺矣。此文當作「音以八相生，故人臂脩四尺，尋自倍，故八尺而爲尋」，一切經音義卷十七引淮南云：「人臂四尺，尋自倍，故八尺曰尋」，是也。

大成謹案王氏所校，是矣，確然不可易矣。然檢一切經音義，仍作「人修八尺」，未嘗作「人臂四尺」也。王氏改古以就我，亦不可爲訓也。

秋分蔈定，蔈定而禾熟。

王念孫曰：隋書律厤志引此作「秋分而禾蔈定，蔈定而禾熟」，是也。宋書律志同。今本脫「而禾」二字，則文義不明。

大成謹案王校是。說文七上禾部稱字下云：「禾有秒，秋分而秒定」，（王念孫曰：「蔈與秒同。秒，禾芒也」。）即用淮南此文。彼上句言「禾有秒」，故而字下不復出禾字。劉家立不明斯理，但於蔈上補而字，而不補禾字，非是。

甲、齊，乙、東夷，丙、楚，丁、南夷，戊、魏，己、韓，庚、秦，辛、西夷，壬、衞，癸、越。

王念孫曰：開元占經日辰占邦篇引此，越作趙。案齊近東夷，楚近南夷，魏近韓，秦近西夷，衞近趙，則作趙者是也。若作越，則與南夷相複矣。

錢　塘曰：漢書天文志越作北夷。

大成謹案占經引石氏亦作北夷。北夷與趙亦相近。

以日冬至數來歲正月朔日，五十日者，民食足；不滿五十日，日減一斗，有餘日，日益一升。

王念孫曰：太平御覽時序部十三、十四引此，數下有至字，（數，色主反。）「五十日」上有滿字，「一斗」作「一升」，皆是也。

吳承仕曰：玉燭寶典引「日減一斗」正作「日減一升」。

大成謹案齊民要術收種篇、天中記五引此，數下亦有至字，四時纂要正月同。（御覽時序部十三未引。）四時纂要「五十日」上亦有滿字。（御覽時序部十四未引。）北堂書鈔百五十三、天中記引「一斗」亦作「一升」。（御覽時序部十四引仍作「一斗」。）

掩茂之歲，麥不爲，昌。

王念孫曰：昌上脫菽字。「麥不爲」爲句，（上文曰：「禾不爲」，又曰：「菽麥不爲」。）「菽昌」爲句。（上文曰：「菽麥昌」，又曰：「稻昌」。）開元占經歲星占引此，正作「麥不爲，菽昌」。

鄭良樹曰：北宋本、漢魏本、百家本、百子本、莊本昌上並有菽字。

大成謹案廣博物志四引亦有菽字，錢塘補注本同。

地形篇

天地之間，九州八極。（八極，八方之極也。）

王念孫曰：「八極」當爲「八柱」，柱與極草書相近，故柱誤爲極。（玉海地理部引此已誤。）初學記地部上、太平御覽地部一及白帖一引此並作「天有九部八紀，地有九州八柱」。又太平御覽州郡部三引作「天地之閒，九州八柱」。楚辭天問曰：「八柱何當？東南何虧」，初學記引河圖括地象曰：「地下有八柱，柱廣十萬里」，皆其證也。又案文選張協雜詩注云：「淮南子曰：八紘之外有八極。高誘曰：「八極，八方之極也」，是高注云云，本在下文「八紘之外，乃有八極」下，後人不知此處「八極」爲「八柱」之譌，又移彼注於此，以曲爲附會，甚矣其謬也！

大成謹案王說大謬！下文云：「九州之外，乃有八殥」，「八殥之外，而有八紘」，「八紘之外，乃有八極」，是八極在九州之外，迺天地之極遠方。此文云：「天地之間，九州八極」者，謂天地之閒，中則有九州，外則有八極也。文義何等明白！鹽鐵論論鄒篇述鄒子之說云：「所謂中國者，天下八十一分之一，名曰赤縣神州，而分爲九州。谷阻絕，陸不通，乃爲一州，有大瀛海圜其外，此所謂八極。而天地際焉」。此文舊本多誤，參諸家校改。九州八極之說，正見于此。知鄒子元有九州八極之說，而淮南即用其文也。至所謂八柱者，見于河圖括地象，初學記八引之云：「天有九道，地有九州，天有九部八紀，地有九州八柱」。所謂八柱者，即共工怒觸不周之山之所折，與此迺是二事，不得與九州相關聯。審乎此，不唯淮南「九州八極」之文爲不誤，並河圖之文亦當作「九州八極」也。陳先生槃庵論早期讖緯及其與鄒衍書說之關係一文嘗言之。至諸類書引淮南文同河圖者，自是後人據河圖而妄改。選注引高注在下文，迺崇賢援此注以釋彼文，此在注家往往而有，不得執是一事便謂高氏元注在下也。

是謂丹水，飲之不死。

王念孫曰：丹水本作白水，此後人妄改之也。水經河水注引此作丹水，亦後人依俗本改之。楚辭離騷「朝吾將濟於白水兮」，王注曰：「淮南言白水出崑崙之原，飲之不死」；文選思元賦「𣂷白水以爲漿」，李善即引王注；太平御覽地部二十四亦云：「淮南子曰：白水出崑崙之原，飲之不死」，則舊本皆作白水明矣。又案楚辭惜誓「涉丹水而馳騁兮」，王注曰：「丹水猶赤水也。淮南言赤水出崑崙也」，此是引下文「赤水出東南陬」之語。若此文本作丹水，則王注當引以爲證，何置此不引而別指赤水以當之乎？

大成謹案楚辭集注、離騷集傳亦引作白水，文選離騷注引王注同。

或上倍之，是謂縣圃。

王念孫曰：上文「縣圃、涼風、樊桐」高注云：「皆崑崙之山名」，上文又云：「崑崙之邱，或上倍之，是謂涼風之山」，則此縣圃下亦當有「之山」二字。水經河水注引此作「是謂元圃之山」，是其證。（洪興祖楚辭補注引此，亦有「之山」二字。）

大成謹案離騷集傳引此亦有「之山」二字。

土地各以其類生。

王念孫曰：此本作「土地各以類生人」，今本衍其字，脫人字。（陳祥道禮書引此已誤。）史記天官書正義、藝文類聚水部上、白帖六、太平御覽天部十五、地部二十三、疾病部一、疾病部三引此並無其字，有人字。

鄭良樹曰：事文類聚前集十七引此亦作「土地各以類生人」。

大成謹案本草綱目五井泉水下引此亦作「土地各以類生人」。

岸下氣多腫。

王念孫曰：腫本作尰，此亦後人妄改之也。（禮書引此已誤。）腫音諸勇反，尰音市勇反。凡腫疾皆謂之腫，而腫足則謂之尰。尰字從尢，尢讀若汪，跛曲脛也。故尰字從之。岸下氣下溼，故有腫足之疾。小雅巧言篇「居河之麋，既微且尰」，鄭箋曰：「居下溼之地，故生微尰之疾」，爾雅曰：「既微且尰。骭瘍為微，腫足為尰」是也。若作腫，則非其指矣。太平御覽天部十五引此正作尰，又引高注云

：「岸下下溼。腫足曰尰」，今脫此注。又疾病部一、疾病部三引此並同。

大成謹案王說是也。本草綱目引此亦作尰，談選同。

河水中濁而宜菽。

王念孫曰：「中濁」二字義不相屬，濁本作調，「中調」猶中和也。上文曰：「濟水通和而宜麥」，義與此相近。今作「中濁」者，涉上文「汾水濛濁」而誤。禮書引此已誤。後漢書馮衍傳注引此作「河水調宜菽」，太平御覽百穀部五引此作「河水中調而宜菽」。

鄭良樹曰：王校是也。天中記四五引此作「河水中調而宜菽」。天中記「水中」誤倒作「中水」。

大成謹案海錄碎事三上、小學紺珠十動植類引濁亦並作調。

故禾春生秋死，菽夏生冬死，麥秋生夏死，薺冬生中夏死。

王念孫曰：此本作「薺冬生而夏死」。後人以薺死於中夏，因改爲中夏，不知上文「禾春生秋死，菽夏生冬死，麥秋生夏死」，皆但言其時，而不言其月，薺亦然也。藝文類聚草部下、太平御覽百穀部一、菜部五引此並作「薺冬生而夏死」。

鄭良樹曰：王氏以爲「薺冬生中夏死」當作「薺冬生而夏死」，其說是也。說文繫傳十三引此亦作「薺冬生夏死」，是其證。

大成謹案此當作「薺冬生夏死」，離騷草木疏四引正如此作，與說文繫傳同。脩務篇云：「薺麥夏死」，亦可證也。藝文類聚引薺下尚有麦字，御覽百穀部一引有麥字。麦是麥之誤字，麥則又涉上句而誤衍也。而字亦不當有，方與上三句一例，說文繫傳、離騷草木疏引可證。王說本有而字，而鄭君是之，非。

凡海外三十六國。

王引之曰：論衡無形、談天二篇並作三十五國。今歷數下文，自脩股民至無繼民，實止三十五國，六字誤也。

楊樹達曰：王氏誤數，其說非也。今按上文，（大成案當曰下文。）自西北至西南方凡十國，自西南至東南方凡十三國，自東南至東北方凡六國，自東北至西北方凡七國。合計之，實三十六國。集證本不知王說之誤，改本文三十六作三十五，謬矣。

王先生曰：宋本、茅本、漢魏叢書本、莊本下文結胷民下並多羽民一國，則與三十六國之數合。

劉殿爵曰：道藏本無羽民。王引之乃據道藏本立說。楊氏謂其誤數，固屬不允；而劉氏集解既從莊本之文，多羽民一國，又引王氏之說，竟不知兩者之不合，疏矣。

大成謹案論衡談天篇曰：「淮南王劉安，召術士伍被、左吳之輩，充滿宮殿，作道術之書，論天下之事，地形之篇道異類之物，外國之怪，列三十五國之異」，明謂淮南地形篇是三十五國，則仲任所見淮南書，必不作三十六國。談天篇又曰：「禹之治洪水，以益爲佐。禹主治水，益主記物，（今本此句主誤之，從孫人和校改。）極天之廣，窮地之長，辨四海之外，竟四山之表，三十五國之地，鳥獸草木，金石水土，莫不畢載」，則仲任所見山海經，似亦止得三十五國，與淮南同。論衡無形篇曰：「海外三十五國，有毛民、羽民」，羽民國見於山海經海外南經、又大荒南經、呂氏春秋求人篇、博物志八及郭注海外南經引啓筮，則羽民一國，必在仲任所見三十五國之內。今藏本、劉績本、王鎣本、朱東光本無羽民國，迺誤奪。至羽民之外，餘三十五國之中，何者爲仲任所見本所無，則莫可攷定矣。

青金八百歲生青龍。

王念孫曰：「八百歲」當爲「千歲」，上文「黃金千歲生黃龍」，卽其證也。（後二段並同。）太平御覽引此正作「青金千歲生青龍」。

大成謹案王說是也。天中記五十六引河圖亦云：「青金千歲生青龍」。

角斗稱。（斗稱，量器也。）

王念孫曰：稱皆當爲桶，桶、稱字相近，又涉注內「衡石，稱也」而誤。說文：「桶，木方受六升」，廣雅曰：「方斛謂之桶」，斗、桶爲一類，故高注以桶爲量器。若作稱，則非量器矣。月令作「角斗甬」，鄭注曰：「甬，今斛也」，呂氏春秋作「角斗桶」，高彼注與此注同。史記商君傳「平斗桶」，義亦同也。下文仲秋之月「角斗桶」，桶字亦誤作稱。

大成謹案桶字是也，茅本正作桶。

孟秋之月，西宮御女白色，衣白采，撞白鍾。

王念孫曰：「白鍾」之白，因上文而衍。春鼓琴瑟，夏吹竽笙，秋撞鍾，冬擊磬石，鍾上不宜有白字。而北堂書鈔歲時部二、藝文類聚歲時部上、太平御覽時序部九引此皆有白字，則其誤久矣。

王紹蘭曰：「白鍾」之白非衍文。春言「鼓琴瑟」，夏言「吹笙竽」，冬言「擊磬石」，皆三字爲句，若此文無白字，但言「撞鍾」，則句法參差，非其例矣。且石卽磬也，磬下加石以足句，猶鍾上加白以足句耳。

劉文典曰：王紹蘭說是也。本篇「撞白鍾」句凡三見，豈得盡爲衍文！

大成案類書引此，自雜志所舉北堂書鈔歲時部二（凡兩引）、藝文類聚、太平御覽時序部九外，別見書鈔禮儀部七（卷八十六）、御覽皇親部十一（卷一百四十五）、又樂部十三（卷五百七十五），及事類賦注五，並有白字。白字不當盡爲衍文也。雜志說非是。

其兵戈。

王念孫曰：戈當爲戉，字之誤也。說文：「戉，大斧也。從戈，𠄌聲。（𠄌音厥。）司馬法曰：夏執元戉，殷執白戚，周左杖黃戉，右把白髦」，徐鍇曰：「今作鉞」。藝文類聚、太平御覽引此並作「其兵鉞」，是其證也。四時之兵，春用矛，夏用戟，季夏用劍，秋用戉，冬用鎩，五者皆不同類。戈與戟同類，夏用戟，則秋不用戈矣。莊二十五年穀梁傳「天子救日陳五兵」，徐邈曰：「矛在東，戟在南，鉞在西，楯在北，弓矢在中央」，彼言鉞在西，正與此秋用戉同義。又案說文引司馬法作戉，今經傳皆作鉞，未必非後人所改。此戉字若不誤爲戈，則後人亦必改爲鉞矣。

劉文典曰：顏師古匡謬正俗云：「黃帝素問及淮南子等諸書說五方之兵，東方其兵矛，南方其兵弩，中央其兵劍，西方其兵戈，北方其兵鎩」，是小顏所見本正作「其兵戈」。御覽引作鉞，蓋襲藝文類聚耳。

大成謹案王說是矣而未盡，劉說非也。戈之與戉，迺高、許二本之不同也。藝文類聚、太平御覽引作鉞，事類賦注五引同，知鉞必非誤字。匡謬正俗引此文作戈，戈字亦非誤字。考上孟夏月「其兵戟」，高注云：「戟或作弩也」，永樂大典八二七五引彼文正作弩。是南方一本作弩，與小顏所見本合也。南方用弩，故此西方用戈，二者不同類。今本南方用戟，則此西方必不得復用同類之戈，自當從藝文類聚、太平御覽、事類賦注引作用戉。周禮鞮鞻氏疏引孝經鉤命決云：「東夷之樂用靺，持矛，助時成。南夷之樂曰任，持弓，助時養。西夷之樂曰侏離，持鉞，助時殺。北夷之樂曰禁，持楯，助時藏」，其西方鉞之文，正與藝文類聚諸書所引淮南合。今本既爲高注，則高本當作東方矛，南方戟，中央劍，西方戉，北方鎩。高氏所謂或本，卽是許本，則許本自作東方矛，南方弩，中央劍，西方戈，北方鎩。二本不同，而各有當。王氏校今高本，今本此文自當作「其兵戉」。劉氏執顏引許本以校高本，而不悟彼南方用弩之與此用戟不同，則西方之用戈、用戉亦當有不同也。

天子親率三公九卿大夫以迎秋于西郊。

王念孫曰：「迎秋」本作「迎歲」，後人依月令改之耳。上文孟春、孟夏及下文孟冬並作「迎歲」，高注：「迎歲，迎春也」，又曰：「迎歲，迎夏也」，則此亦當云：「迎歲，迎秋也」。後人旣改「迎歲」爲「迎秋」，又刪去高注，斯爲妄矣。孟冬下亦刪去「迎歲，迎冬也」五字，而正文「迎歲」尚未改。

鄭良樹曰：劉本「迎秋」正作「迎歲」。

大成謹案王鎣本亦作「迎歲」，王本出於劉績本也。

命太僕及七騶咸駕，戴荏，

劉　績曰：「戴荏」記作「戴旌旐」，疑荏乃旌字之誤。

王念孫曰：劉說是也。隸書旌字或作㫌，與荏相似而誤。載、戴古字通。

金其源曰：「戴荏」，禮月令則曰「載旌旐」，呂覽則曰「載旍旐」。案爾雅釋草：「蘇，荏也」，方言：「蘇亦荏也。關之東西或謂之蘇，或謂之荏」，司馬長卿子虛賦「蒙鶡蘇」，索隱云：「蘇，析羽也」，周禮春官司常：「析羽為旌」。是荏卽旌也。廣韻：「旍同旌」，五經文字：「旌從生，作旍譌」。則三書同物而異名也。

劉文典曰：御覽八百九十六引「戴荏」作「載旗」。

大成謹案事類賦注二十一引「戴荏」亦作「載旗」。姑不論荏之為旌，是誼得相通，抑或形似而誤，其為旌旗字則無疑也。

東方之極，自碣石過朝鮮，貫大人之國，（碣石在遼西界海水西畔。）東至日出之次，扶榑木之地，青土樹木之野。

王引之曰：舊本「碣石」下有山字，後人所加也。太平御覽地部二引此無山字，尚書大傳亦無。碣、碣古字通。道藏本、茅本並作「碣石」，史記貨殖傳「龍門碣石」字亦如此。劉本改碣為碣，而莊本從之，皆未達假借之義。「青土」當為「青邱」，字之誤也。（御覽引此已誤。）本經篇「繳大風於青邱之野」，高注曰：「青邱，東方之邱名」，卽此所云「東至青邱之野」也。呂氏春秋求人篇亦云：「

禹東至榑木之地，日出之野，青邱之鄉」，海外東經云：「青邱國在朝陽北」，逸周書王會篇「青邱狐九尾」，孔晁曰：「青邱，海東地名」，服虔注漢書司馬相如傳云：「青邱國在海東三百里」。大成謹案廣博物志五引此文，「竭石」下亦無山字。高注云：「竭石在遼西界海水西畔」，是所據本亦無山字也。御覽引注云：「碣石山在東北海中」，當是許注。說文九下石部：「碣，特立之石也。東海有碣石山。从石，曷聲」，即用淮南此文爲說。則御覽所引「東北海」北字是衍文，而許本自作「碣石山」，字作碣，石下有山字，與高本作「竭石」者不同。景宋本注文作竭，而正文作碣，則碣字非劉績所改。覽冥篇「過歸鴈於碣石」，注：「乃使北歸於碣石之山」，字亦作碣。段注說文云：「碣石山見禹貢。地理志：『右北平郡驪成縣，大碣石山在縣西南』，非東海郡也。東海字疑誤」，今案許君說碣石山，是據淮南，不用漢志也，段氏偶忘之爾。又「青土」當作「青丘」，王校是。魏徵撰九成宮醴泉銘云：「東越青丘」，亦可證也。路史後紀四蚩尤傳注引啓筮云：「蚩尤出自羊水，八肱八趾疏首，登九淖以伐空桑，黃帝殺之于青丘」，此青丘亦在東方。

覽冥篇

武王伐紂，渡于孟津，陽侯之波逆流而擊，疾風晦冥，人馬不相見。於是武王左操黃鉞，右秉白旄，瞋目而撝之，曰：余任，天下誰敢害吾意者！

王念孫曰：「右秉白旄」，秉本作執，此後人依牧誓改之也。論衡感虛篇引此正作執，太平御覽地部二十六、三十六、皇王部九引此亦作執，泰族篇亦云：「武王左操黃鉞，右執白旄」。執與秉同義，無煩據彼以改此也。任當爲在，字之誤也。「余在」爲句，「天下誰敢害吾意者」爲句。孟子引書曰：「四方有罪無罪，惟我在，天下曷敢有越厥志」，句法與此相似。論衡感虛篇、藝文類聚儀飾部、太平御覽地部二十六、三十六、皇王部九、儀式部一引此並作「余在」。害讀爲曷。曷，止也，言誰敢止吾意也。爾雅：「曷、遏，止也」；商頌長發篇「則莫我敢曷」，荀子議兵篇引作「則莫我敢遏」。

大成謹案王校皆是也。事類賦注六引此文，秉亦作執，任亦作在。百子全書本搜神記卷八：「武王曰：余在，天下誰敢干余者」，字亦作在。

羽翼弱水，暮宿風穴。濯羽翼於弱水之上。

王念孫曰：「羽翼弱水」四字文不成義。「羽翼」當爲「濯羽」，故高注云：「濯羽翼於弱水之上」，今本作「羽翼」，即涉注內「羽翼」而誤也。舊本北堂書鈔地部二穴下引此正作「濯羽弱水，暮宿風穴」，文選辯命論注、白帖九十四並同。說文：「鳳濯羽弱水，莫宿風穴」，即用淮南之文。

大成謹案王說是也。事類賦注十八引此亦作「濯羽弱水」，其鳳賦云：「濯羽翰於弱水」，亦用淮南文也。全唐詩二十三張祜司馬相如琴歌：「鳳兮鳳兮非無凰，山重水闊不可量，梧桐結陰在朝陽，濯羽弱水鳴高翔」，亦作「濯羽」。

以治日月之行律，律，度也。治陰陽之氣，節四時之度，正律歷之數。

陳昌齊曰：律下本無治字，「律陰陽之氣」，與上下相對爲文。讀者誤以律字上屬爲句，則「陰陽之氣」四字文不成義，故又加治字耳。高注「律，度也」三字，本在「律陰陽之氣」下，傳寫誤在律字之下，「陰陽」之上，隔斷上下文義，遂致讀者之惑。

王念孫曰：文子精誠篇作「調日月之行，治陰陽之氣」，此用淮南而改其文也。後人不知律字之下屬爲句，故依文子加治字耳。

顧廣圻曰：上治字當作律。

劉文典曰：北堂書鈔四引作「理日月之行，治陰陽之氣」。

王先生曰：陳說是也。天中記六引律下正無治字。

鄭良樹曰：玉海九引律下亦無治字，可證陳說。

大成謹案此文許、高二本有別：許作「律日月之行，治陰陽之氣」，高作「理日月之行，治陰陽之氣」。御覽七十九自「黃帝治天下」已下所引全是高本，此文引作「理日月星辰之，治陰陽之氣」，其上句有譌誤，當从書鈔作「理日月之行」，是高本作「理日月之行」也。軒轅本紀亦作「理日月之行，調陰陽之氣」。其今本作「治日月之行」者，乃唐高宗既遷祧廟，後人妄改之耳。許本當作「律日月之行」，其「律，度也」之注，或亦許義。校者以許本律字並注寫於高本「治日月之行」旁，不愼誤錯於下句「治陰陽之氣」上，律下又有「律，度也」之注，後人遂讀爲「以治日月之行律，治陰陽之氣」矣。正以上下不對，遂滋讀者之惑，王應麟、陳耀文竟以意刪下句治字，以與上句相對，不知下句治字非衍文，書鈔、御覽、文子並有，許、高二本亦無異也。宋本文子上句亦作「理日月之行」，乃後人據高本淮南改之，轉非其舊矣。

服駕應龍，驂青虬。駕應德之龍。在中為服，在旁為驂。

王念孫曰：「服應龍，驂青虯」，相對為文，故高注曰：「在中為服，在旁為驂」，服下不當有駕字。此後人據高注旁記駕字，因誤入正文也。不知高注「駕應德之龍」是解「服應龍」三字，非正文內有駕字也。一切經音義一、太平御覽鱗介部二及爾雅釋魚疏引此俱無駕字。

王先生曰：王說是也。海錄碎事十上引此亦無駕字。

大成謹案稽瑞、路史後紀二女皇氏紀注引此亦無駕字。

援絕瑞，席蘿圖。珠絕之瑞應，援而致之也。

王念孫曰：「援絕瑞」本作「援絕應」，此亦涉注文而誤也。案正文作「絕應」，故注釋之曰「殊絕之瑞應」；若正文本作「絕瑞」，則無庸加應字以釋之矣。爾雅疏引此作「絕瑞」，則所見本已誤。御覽引此正作「絕應」。

于省吾曰：王說非是。增字以釋正文，注之常例。御覽不可為據。

王先生曰：御覽引作「屬絕瑞」。援之作屬，乃高、許之異，而瑞字則同。王氏失檢，其說自不足據矣。

大成謹案海錄碎事十上、路史後紀二注、廣博物志九、天中記十一引此文，俱是瑞字，從無一書引瑞作應者。路史後紀曰：「爰絕瑞，席蘿圖」，注曰：「許氏云：殊絕之瑞」。又贊曰：「爰瑞席圖」，皆用淮南文也。路史注引注作許愼，蓋以今本淮南卷首有「許愼記上」字樣，故誤高爲許。劉家立不知王校之謬，輒改正文瑞爲應字，斯爲巨謬矣。注文珠字，它本並是殊字，路史注引同。樸志逕引作殊字，是。

植社槁而塼裂。

王念孫曰：說文、玉篇、廣韻、集韻皆無塼字。塼當爲埔，隸書之誤也。說文：「䍖，裂也」，又曰：「埔，坼也」。埔、䍖古字通。賈子耳痹篇作「置社槁而分裂」。

大成謹案王說是也。通鑑外紀二正作埔。

田無立禾，路無莎薠。莎薠讀猿猴蹯蹂之蹯，狀如葴，葴如葭也。莎，草名也。金積折廉，璧襲無理。磬龜無腹，蓍策日施。

王引之曰：「莎薠」本作「薠莎」，故高注先釋薠，後釋莎。道藏本誤作「莎薠」，洪興祖楚辭九歌補注引此已誤。莊本同。莎與注內薠上又衍一莎字。劉績不能是正，反移莎字之注於前，以就已誤之正文，斯爲謬矣。禾、贏、施爲韻。各本贏作理，乃後人所改。若作「莎薠」，則失其韻矣。

大成謹案王校綦是。文子上禮篇作「路無緩步」，「緩步」卽涉「薠莎」形近而誤。若作「莎薠」，則無緣誤爲「緩步」也。

諸侯力征，天下合而爲一家。

王念孫曰：「天下合而爲一家」合上脫不字，太平御覽兵部七十引此有不字，文子上禮篇同。

大成謹案王說是也。此下盛侈漢世之美，曰：「天下混而爲一」，正與此相對。又案御覽引家下尙有也字，於文爲順。

河九折注於海，而流不絕者：崑崙之輸也。

王念孫曰：藝文類聚水部上、初學記地部中、太平御覽地部二十六及文選海賦注引此並云：「河水九折注海，而流不絕者：有崑崙之輸也」，較今本爲長。

劉文典曰：白帖六引河下亦有水字。

鄭良樹曰：記纂淵海七、錦繡萬花谷五引此，河下並有水字。

大成謹案事類賦注六引「崑崙」上亦有有字。但水經河水注引與今本同，選注「崑崙」上亦無有字。兩者亦無所謂短長。

精神篇

是故肺主目，（肺象朱雀。朱雀，火也。火外景，故主目也。）腎主鼻，（腎象龜。龜，水也。水所以通溝也，鼻所以通氣也，故主鼻也。）膽主口，（膽，勇者決所以處，故主口也。）肝主耳。（肝，金也。金內景，故主耳也。）

王念孫曰：文子作「肝主目，腎主耳，脾主舌，肺主鼻，膽主口」，說肝、腎、肺之所主，與此互異，而多「脾主舌」一句。案此言五藏之主五官，不當獨缺脾與舌。下文「膽爲雲，肺爲氣，脾爲風，腎爲雨，肝爲雷」，卽承此文言之，則此當有「脾主舌」一句，但未知次於何句之下耳。白虎通義亦曰：「脾繫於舌」。

鄭良樹曰：劉本、王鎣本、朱本「肝主目」句下並有「脾主舌」三字，可證王說。白虎通義情性篇亦曰：「肝繫於目，肺繫於鼻，心繫於口，脾繫於舌，腎繫於耳」。

大成謹案王、鄭之說皆誤也。此文當作「肺主目，腎主鼻，脾主口，膽主耳」。高注以爲肺爲火，腎爲水，與時則篇注一說合；其「肝主目」下注云：「肝，金也」，固亦與彼注一說合，然「膽主口」下不注五行所屬，可疑一也。考說文四下肉部云：「膽，連肝之府也」，段注引白虎通曰：「膽者，肝之府也」，今檢王叔和脈經卷三肝膽部亦曰：「肝，與膽合爲府」，是肝之與膽，止是一府，既言「肝主耳」，卽不得復言「膽主口」；如言「膽主口」，卽不得復言「肝主耳」，今乃兩者並擧，可疑二也。又下文「膽爲雲，肺爲氣，脾爲風，（今本脾誤肝，詳下。）腎爲雨」（今本此下尙有「脾爲雷」一句，乃誤衍，詳下。）云云，卽承此文肺、腎、脾、膽而言，設如今本，則與下文不合，可疑三也。至今本高于「膽主口，肝主耳」二句之注，當亦後人依誤本妄改，或高所見本已誤，則莫敢定之矣。又案五藏之主五官，自來說法不一：白虎通情性篇引元命苞曰：「目者，肝之使；鼻者，肺之使；耳者，心之候；陰者，腎之寫；口者，脾之門戶」，史記扁鵲倉公列傳正義曰：「肺氣通於鼻，肝氣通於目，脾氣通於口，心氣通於舌，腎氣通於耳」，管子水地篇曰：「脾發爲鼻，肝發爲目，腎發爲耳，肺發爲竅，心發爲舌」，子華子北宮意問篇曰：「心通於舌，肝通於目，肺通於鼻，腎通於耳，脾通於口」，長短經察相篇自注曰：「肝主目，心主舌，肺主鼻，腎主耳，脾主脣」，素商五常政大論曰：「肝主目，心主舌，脾主口，肺主鼻，腎主二陰」，靈樞經五閱五使篇曰：「鼻者，肺之官也；目者，肝之官也；口脣者，脾之官也；舌者，心之官也；耳者，腎之官也」，難經藏府配像篇曰：「肺氣通於鼻，肝氣通於目，脾氣通於口，心氣通於舌，腎氣通於耳」，脈經卷三肝膽部曰：「肝，其候目；心，其候舌；脾，其候口；肺，其候鼻；腎，其候耳」，白虎通情性篇曰：「口者，心之候；耳者，腎之候」，列子湯問篇曰：「廢其心則口不能言，廢其肝則目不能視，廢其腎則足不能步」。自醫家之書彼此不異外，其餘並莫能相一：蓋醫家之說，得之經驗，不容稍有差池；緯書、子書各以想像爲之耳。淮南說自與諸家異，未可執彼例此。

天有四時五行九解三百六十六日，人亦有四支五藏九竅三百六十六節。

王念孫曰：「三百六十六日」、「三百六十六節」本作「三百六十日」、「三百六十節」，後人以堯典言「朞三百有六旬有六日」，故於上句加六字，因併下句而加之也。不知「三百六十日」但舉大數言之，繫辭傳曰：「乾坤之策凡三百有六十，當期之日」是也。若人之骨節，則諸書皆言三百六十：呂氏春秋本生篇曰：「則三百六十節皆通利矣」，達鬱篇曰：「三百六十節九竅五藏六府」，太平御覽人事部一引公孫尼子曰：「人有三百六十節，當天之數也」，皆其證矣。春秋緐露人副天數篇曰：「天以終歲之數成人之身，故小節三百六十分，（今本分作六，亦是後人所改。上文云：「人有三百六十節，偶天之數也」，即其證。今依上文改。）副日數也。大節十二分，副月數也」，淮南天文篇亦曰：「天有十二月，以制三百六十日；人亦有十二肢，以使三百六十節」，此皆以十二統三百六十，猶十二律之統三百六十音也，（見天文篇。）不得言三百六十六明矣。太平御覽引此已誤。文子九守篇正作「三百六十日」、「三百六十節」。

楊樹達曰：王校是也。韓非解老篇亦云：「人之身三百六十節四肢九竅，其大具也」，亦作「三百六十節」。

大成謹案子華子執中篇亦云：「周天之日，爲數三百有六十，閏月之時，爲數三百有六十，天地之大數不過乎此。一人之身，爲骨凡三百有六十」，上下俱止作「三百六十」。宛陵錄無門關：「將三百六十骨節，八萬四千毫竅，通身起個疑團，參個無字，晝夜提撕」，亦作「三百六十」。

故膽爲雲，（膽，金也。金石，雲之所出，故爲雲。）肺爲氣，（肺，火也，故爲氣。）肝爲風，（肝，木也。木爲風生，故爲風。）腎爲雨，（腎，水也，因水故雨。雨或作電。腎，水也，水爲光，故爲電。）脾爲雷，以與天地相參也，而心爲之主。（心，土也。故爲四行之主也。）

王念孫曰：「肝爲風」本作「脾爲風」，注「肝，木也」本作「脾，木也」，「脾爲雷」本作「肝爲雷」，皆後人改之也。上注曰：「肝，金也」，是高不以肝爲木也；時則篇春「祭先脾」，注引一說曰：「脾屬木，自用其藏也」，是脾爲木也。脾屬木，而木爲風生，故曰：「脾爲風」。脾爲風，則肝爲雷矣。（上四句皆有注，而「肝爲雷」下獨無注者，後人改肝爲脾，則與注不合，故刪之耳。）五行大義論人配五行篇及太平御覽人事部一引此並作「脾爲風」、「肝爲雷」，文子九守篇同。

大成謹案王說此文「肝爲風」，肝字是譌文，當改爲脾，（注同）是也。謂「脾爲雷」，脾當爲肝，則謬矣。「脾爲雷」三字迺是衍文。何以明之？上文云：「肺主目，腎主耳，脾主口，膽主耳」，（今本有誤見上。）此文「膽爲雲，肺爲氣，脾爲風，腎爲雨」，卽承上文言之。上文既不言肝，則此處不當有「肝爲雷」一句，一也。「心爲之主」下高注云：「心，土也，故爲四行之主也」，五藏心爲之主，既見于此，則上文止合有四藏，其膽、肺、脾（今誤肝。）、腎下，高氏分注云：「膽，金也」，「肺，火也」，「脾（今誤肝）木也」，「腎，水也」，是膽、肺、脾、腎合心爲五藏也。而今本「脾爲雷」下高無注，知此處本不當有此一句，二也。蓋後人習聞心、肝、脾、肺、腎爲五藏之說，其「脾爲風」脾字既誤爲肝，迺于「腎爲雨」下妄增「脾爲雷」三字。不知肝、膽共爲一府，言膽即不必言肝，淮南自以心、膽、肺、脾、腎爲五藏也。高氏所據本既無「脾爲雷」一句，奚繇爲其作注乎！王氏謂後人以其不合刪之，亦非也。王應麟不知今本之誤，妄改高注「四行之主」爲「五行之主」，（小學紺珠三人事類）謬。劉家立不知王校之未盡是，从其說以肝、脾二字互易，亦謬。至五行大義、御覽所引，自是誤本，廣博物志二十五引與之同誤也。又案高於「腎爲雨」下注云：「雨或作電」，檢御覽十三、又三百六十三、雲笈七籤九十一引文子雨亦作電，是許本作電可知。高引或本者，即許本也。今本文子與今淮南同，疑後人據淮南改之。

是故五色亂目，使目不明，五聲譁耳，使耳不聽，五味亂口，使口爽傷，（爽，病，病傷滋味也。）趣舍滑心，使行飛揚。

王念孫曰：「使口爽傷」本作「使口厲爽」，注本作「厲爽，病傷滋味也」。大雅思齊箋曰：「厲，病也」，逸周書謚法篇曰：「爽，傷也」，（廣雅同。）故云：「厲爽，病傷滋味也」。後人以韻書爽在上聲，與明、聰、揚三字音不相協，故改「厲爽」爲「爽傷」。不知爽字古讀若霜，正與明、聰、揚爲韻。故老子「五味令人口爽」，亦與盲、聾、狂、妨爲韻。而莊子天地篇「五色亂目，使目不明；五聲亂耳，使耳不聽；五味濁口，使口厲爽；趣舍滑心，使性飛揚」，即淮南所本也。且爽即是傷，若云「使口爽傷」，則是使口傷傷矣。（文子九守篇作「使口生創」，亦是後人所改。）乃既改正文之「厲爽」爲「爽傷」，又改注文之「厲爽」爲「爽，病」，甚矣其謬也。

王先生曰：王校是也。雲笈七籤九一引文子九守篇亦作「使口厲爽」。

大成謹案朱弁本、日本寶曆本文子正作「使口厲爽」，知淮南古本塙作「使口厲爽」如王校也。

感而應，迫而動，不得已而往，如光之燿，如景之放。

王念孫曰：劉績依文子九守篇改放爲效，是也。「如景之效」，謂如景之效形也。效與燿爲韻。若作放，則失其韻矣。

王紹蘭曰：放當爲敫，字之壞也。說文放部：「敫，光景流也。从白，从放。讀若龠」。敫从白，故爲光景；从放，故爲流。然則淮南本作「如景之敫」，謂如景之流。許解敫爲「光景流」，正取此文爲義也。文子九守篇亦本作敫，傳寫者多見效，寡見敫，又以效與燿爲韻，因誤敫爲效。不知敫讀若龠，正與燿爲韻，邶風簡兮篇：「左手執籥，右手秉翟」，即其明證矣。是知劉本放爲效，放固失之，而效亦未爲得也。

楊樹達曰：放字不誤。二王皆欲改字，說並非也。敫字从白从放，即此放字之義。今語猶言放光，是古之遺語也。放與上往字爲韻，不與燿爲韻。王念孫云：「作放失韻」，尤非是。

大成謹案二王各欲改放爲效、敫，非也。楊氏謂放字不誤，是也。此文放字，當叚爲仿，說文八上人部：「仿，相似也」。凡經傳倣效字皆以放爲之，故廣雅釋詁三云：「放，效也」。放、效同誼，故中山經中次七經放皋之山，放或作效；說文十四上子部「孝，效也」，宋本效作放，固緐形近易溷，亦緐誼得相通。「如景之放」者，謂如景之效形也。王念孫校文非而義是。楊樹達以放光說之，文是而義非。王紹蘭謂字當作敫，从說文訓爲「光景流」，則文義兩非是矣。

輕舉獨住，忽然入冥。

王念孫曰：住當爲往，謂輕舉而獨行也。若作住，則與「忽然入冥」句義不相屬矣。

王先生曰：宋本住正作往。

鄭良樹曰：諸子本、漢文大成本亦並作往。

大成謹案藏本亦是往字，特左半微有歁壞，致成住字爾。觀其左半特下，知本从彳，非从亻也。明已下諸本从歁壞道藏，致多誤住。喻林百十三引作往。

今夫窮鄙之社也，叩盆拊瓴，相和而歌，自以爲樂矣。嘗試爲之擊建鼓，撞巨鐘，乃性仍仍然知其盆瓴之足羞也。

王念孫曰：性字義不可通，性當爲始，古人多以「乃始」二字連文，乃始猶然後也。藝文類聚禮部中、太平御覽人事部一百二十七、禮儀部十一、樂部二十二、器物部三引此並作「乃始」。

鄭良樹曰：漢魏本、漢文大成本性並作始，可證王說。

大成謹案王說是也。諸子類語四十一引此亦作「乃始」。

由此觀之，生尊于天下也。

王念孫曰：尊本作貴，此涉上文「尊埶厚利」而誤也。此言生貴而天下賤，非言生尊而天下卑。高注「故曰生貴於天下」，即其證。呂氏春秋知分篇注引此亦作貴，泰族篇亦云：「身貴於天下」。

王先生曰：王校是也。文子上義篇、後漢書馬融傳尊亦並作貴。

大成謹案世說文學篇注亦作貴。

損棄其社稷。

王念孫曰：社稷可言棄，不可言損。損當爲捐字之誤。

大成謹案王說是也。王鎣本損正作捐。劉家立從王校改損爲捐，是也。

本經篇

太清之始也，和順以寂寞，太清，無爲之始者，謂三皇之時。質眞而素樸。

王念孫曰：「太清之始」始當爲治，字之誤也。自「和順以寂寞」以下二十三句，皆言太清之治如此也。高注當云：「太清，無爲之治也」，今本作「太清，無爲之始者」，文不成義，後人所改也。文選東都賦注、後漢書班固傳注引此，並作「太清之化」，又引高注曰：「太清，無爲之化也」，治字作化，避高宗諱也。則其字之本作治明矣。太平御覽天部十五引作「太清之始」，亦後人依誤本改之；其竹部一引正作「太清之治」。文子下德篇作「清淨之治者，和順以寂寞，質眞而素樸」，是其明證矣。

劉文典曰：王說是。宋本始正作治。顧廣圻說同

鄭良樹曰：「太清之始也」疑本作「太清之世也」，自「和順以寂寞」以下二十三句，皆言太清之世如此也。猶下文「逮至衰世」，自「鐫山石」以下五十二句，皆言衰敗之世如此也。上下文義相對。此文下節云：「當此之時，高注：聖德之世。無慶賀之利，刑罰之威，禮義廉恥不設，毀譽仁鄙不立，而萬民莫相侵欺暴虐，猶在于混冥之中。逮至衰世，人眾而財寡，而字據王師校補事力勞而養不足」，彼以「當此之時」、「逮至衰世」對舉，猶此以「太清之世」、「逮至衰世」對舉，則作世字是也。高注云：「謂三皇之時」，正以時釋世也。大唐開元占經一一二、記纂淵海四引「太清之始」並作「太清之世」，是其明證。世之作始，蓋避太宗諱耳。高注「太清，無爲之始也」，亦疑當作「太清，無爲之世也」，以「無爲之世」釋正文「太清」，再以「謂三皇之時」釋「無爲之世」，高氏注例屢屢如此也。

大成謹案王說始當爲治，是也。李白廬山謠寄盧侍御虛舟詩楊齊賢註分類補注二十五引亦作治，與景宋本同。藝文類聚五十二、李白設辟邪伎鼓吹雉子班曲辭楊注分類補注四引作始，軒轅本紀用淮南文，字亦作始，並與今本同誤。始之與治，形似易譌，鶡冠子泰錄篇「精微者，天地之始也」，始或作治，其比也。文子作治，與御覽竹部一引淮南同，可證淮南本是治字矣。正以唐人避高宗諱，故選注、後漢注並改治作化；猶後漢王符傳「治國之日舒以長」，章懷改治作化也。若本是世字，則必改爲代字，無繇改爲化字也。占經、記纂淵海作世，御覽八百七十三同，廼以意改，不足據，稽瑞引作「

太昔清之始世也」，「太昔」二字當到，正以治誤爲始，文義不通，故加世字耳。若本是世字，亦無繇沾一始字矣。以此知王說是而鄭說非也。案此文自「和順以寂寞」已下二十三句，皆言太清之治如此，故下文承之云；「當此之時，玄元至碭而運照」云云，與下「逮至衰世，鐫山石」云云相對；下文「古之人同氣于天地，與一世而優游」，下承之云：「當此之時，無慶賞之利」云云，以與下文「逮至衰世，人衆財寡」云云相對。鄭君于此節下文「當此之時」四字，忽而不見，誤以此文與下「逮至衰世」云云相對，可謂明察秋毫而不見輿薪者矣。高注「無爲之治」，義有未明，故又接云「謂三皇之時」，非以時釋世字也，鄭說非是。

天地之大，可以矩表識也。星月之行，可以歷推得也。雷震之聲，可以鼓鍾寫也。風雨之變，可以音律知也。

王念孫曰：「雷震」當爲「雷霆」，字之誤也。天地、星月、雷霆、風雨相對爲文。太平御覽天部十三引此正作「雷霆」，文子下德篇同。

王先生曰：王說是也。漢魏叢書本正作「雷霆」。

大成謹案喻林百十一、諸子類語四引此亦並作「雷霆」。

猰貐、鑿齒、九嬰、大風、封豨、脩蛇皆爲民害。

王念孫曰：漢書楊雄傳應劭注、文選辯命論注、太平御覽皇王部五、兵部三十六引此，「鑿齒」皆在「封豨」下。各本誤在「猰貐」下。

王先生曰：文選楊子雲長楊賦注引應劭注引此，「鑿齒」在「封豨」下，亦可證今本「鑿齒」之誤在「猰貐」下也。

鄭良樹曰：分類補注李太白詩五北上行楊注引此文，「鑿齒」亦在「封豨」下。唯「封豨」作「封豕」，同。

大成謹案古文苑宋玉大言賦注引「鑿齒」亦在「封豨」下。海錄碎事十上引辯命論注同。

晚世之時，帝有桀紂。爲璇室、瑤臺、象廊、玉牀。紂爲肉圃、酒池。

王念孫曰：「爲璇室」上脫桀字。大戴禮少閒篇注、北堂書鈔帝王部二十、太平御覽皇王部七引此，爲上皆有桀字。

大成謹案王說是也。唐卷子本玉篇广部廊字注引此，爲上亦有桀字。

主術篇

故所理者遠，則所在者邇；所治者大，則所守者少。

王念孫曰：少當爲小，字之誤也。群書治要引此正作小。

鄭良樹曰：王校疑是。朱本少正作小。

大成謹案王校是也。王鎣本、茅本亦並作小。集證本從王校改爲小字，是也。浙江局校莊本亦作小。

故曰：樂，聽其音則知其俗，見其俗則知其化。

王念孫曰：樂字與下文義不相屬，當有脫文。文子精誠篇作「聽其音則知其風，觀其樂卽知其俗，見其俗卽知其化」。

于省吾曰：王說非是。此應讀爲「故曰」句，「樂」句。本無脫文。楊樹達說同

大成謹案于說是也。此文「見其俗」緊承上句「知其俗」，與呂氏春秋音初篇「是故聞其聲而知其風，察其風而知其志，觀其志而知其德」結構同。高注呂氏春秋云：「風，俗」，是風卽俗也。文子析淮南一句爲二，而一、二兩句義復，殊爲無味。王氏不知文子之爲妄改，竟欲據以校不誤之淮南，疏矣。劉家立不知王校之謬，廼從其說以文子改淮南正文，斯爲巨謬矣。

由此觀之，勇力不足以持天下矣。

王念孫曰：力字因勇字而衍，「勇不足以持天下」，與上文「智不足以治天下」相對爲文，不當有力字。群書治要及太平御覽人事部七十六引此，皆無力字。下文「勇不足以爲强」，亦無力字。

大成謹案王說力字衍文，是也。但治要未引此文，王氏援御覽可也，援治要爲證，則失據矣。

人主深居隱處，以避燥濕，閨門重襲，以避姦賊。

王念孫曰：下避字當作備，俗讀備、避聲相亂，又涉上避字而誤也。重門所以防賊，故言備；作避則義不可通矣。文選西京賦注引此正作備。

大成謹案王說下避字當作備，是也；援選注以證成其說則非也。檢選注仍是避字，宋本同治要同，是隋唐人所見本已與今同。厥校自精，不必改古人以就我。

由此觀之，權勢之柄，其以移風易俗矣。

王念孫曰：「其以移風易俗矣」文義未足。下文曰：「攝權勢之柄，其於化民易矣」，則此亦當曰「權勢之柄，其以移風易俗易矣」。蓋上易爲變易之易，下易爲難易之易。漢書禮樂志「其感人深，其移風易俗易」，顏師古曰：「易音弋豉反」，是其證也。今本無下易字者，後人誤以爲複而刪之耳。

劉殿爵曰：王說未必然。此文與下節「由此觀之，賢不足以爲治，而勢可以易俗明矣」相對，則亦應作「其可以移風易俗明矣」。今本脫明字，又脫可字，以致文義不完耳。

大成謹案王說固未是，劉說爲尤非。「其以移風易俗矣」當作「其以移風易矣」，後人誤以易字爲變易之易，又習於移風易俗之成語，遂于易下妄加俗字，不知易實難易之易也。上文「刑罰不足以移風，殺戮不足以禁姦」，道應篇「以此移風，可以持天下弗失」，詮言篇「文王脩之岐周，而天下移風」，皆止言「移風」。此言「移風」，故下言「易俗」。若此既言「移風易俗」，下又言「易俗」，於文爲復。以猶於也，「其以移風易矣」即「其於移風易矣」，文義自完。苟如劉說，其下加可字，「易俗」下加明字，前後大重復，其文殊劣。

是故茅茨不剪，采椽不斲。

王念孫曰：斲當爲斵，字之誤也。精神篇作「樸桷不斵」，高注：「樸，采也。桷，椽也」。晉語曰：「天子之室，斵其椽而礱之，加密石焉。諸侯礱之，大夫斵之，士首之」。以采爲椽，而又不斵，儉之至也。太平御覽皇王部五引此正作斵，韓子五蠹篇、史記李斯傳並同。

王先生曰：王校是也。宋本斷正作斲，玉海七八引同。鹽鐵論通有篇、散不足篇亦並作斲。

鄭良樹曰：劉本、朱本、百家本、百子本、莊本斷並作斲，可證王說。

大成謹案金樓子興王篇亦作斲。劉本、莊本並作斷，鄭君失檢，浙局校莊本乃改作斲耳。四庫全書本據韓子、史記改爲斲，是也。

天下之物，莫凶於雞毒。（雞毒，烏頭。）

王念孫曰：「雞毒」當爲「奚毒」，（注同。）此涉上文注內「枅讀如雞」而誤也。廣雅、本草並作「奚毒」，群書治要、意林及太平御覽藥部七引淮南亦作「奚毒」，（急救篇補注引作「奚毒」，則南宋本尚不誤。）無作「雞毒」者。

王先生曰：王說是也。長短經任長篇引此亦作「奚毒」。

大成謹案爾雅翼七、萬卷菁華十二引此文，亦作「奚毒」。治要、意林、長短經、御覽並引許注：「奚毒，附子」。（意林、長短經下有也字。）意林奚作溪，長短經作谿，今本誤雞者以此。

百官修通，群臣輻湊。

王念孫曰：劉本作「脩同」，云：「同，作通」。莊本從劉本作同。案作通者是也。藝文類聚引此作「脩道」，道即通之誤。太平御覽引此正作「脩通」，文子上仁篇同。韓子難篇「百官脩通，群臣輻湊」，即淮南所本。管子任法篇亦云：「群臣脩通輻湊以事其主」。

王先生曰：宋本、茅本、朱本亦並作通，與道藏本合。

大成謹案宋本藝文類聚引此亦作「脩通」，不作「脩道」。文子作「修達」，達、通誼同。

內得於心中，外合於馬志。

王念孫曰：「心中」當爲「中心」，「中心」與「馬志」相對爲文。太平御覽治道部五、獸部八引此並作「中心」。列子湯問篇、文子上義篇皆同。

王先生曰：王說是也。記纂淵海五四引「心中」亦作「中心」。

大成謹案諸子類語一引「心中」亦作「中心」。

美者正於度，而不足者建於用，故海內可一也。

王念孫曰：美當爲羨，正當爲止，建當爲逮，皆字之誤也。羨謂才有餘也。「羨者止於度，而不足者逮於用」，謂人主有一定之法，則才之有餘者止於法度之中，而不得過；其不足者亦可逮於用，而不患其不及也。羨與不足正相反。文子上義篇作「有餘者止於度，不足者逮於用」，是其明證矣。

大成謹案王校是也。唐本玉篇卷子㳄部羨字注引許本美正作羨；引正作小，小亦止之誤也。

智不足以爲治，威不足以行誅，則無以與天下交也。

王念孫曰：「與天下交」當作「與下交」，下謂群臣也。下字上下文凡四見。上文曰：「法律度量者，人主之所以執下」，舍是則智不足以爲治，威不足以行誅矣，故曰「無以與下交」大學曰：「與國人交」。，下上不當有天字。文子上仁篇有天字，亦後人依誤本淮南加之。群書治要引文子無天字。

大成謹案王說是也。鄧析子轉辭篇正作「無以與下交矣」。宋本文子亦無天字，與治要引文子合。

高臺層榭，接屋連閣，非不麗也；然民無掘穴狹廬所以託身者，明主弗樂。

王念孫曰：「掘穴」本作「堀室」，堀，古窟字。昭二十七年左傳「吳公子光伏甲於堀室而享王」，史記吳世家作「窟室」，是也。因堀誤爲掘，後人遂妄改爲「掘穴」耳。「窟室」與「狹廬」事相類，若云「掘穴狹廬」，則文不成義矣。群書治要引此正作「窟室」，又引注云：「窟室，土室」。太平御覽木部七引此亦作「窟室」。

陶方琦曰：群書治要引許本作「然民無有窟穴狹廬」，又引許注：「窟穴，土室」。按說文：「穴，土室」，與此注正同。（葉德輝說同）

于省吾曰：王以掘爲堀，謂堀古窟字，是也。改穴爲室，非也。陶方琦引治要許注「窟穴，土室」，又引說文「穴，土室也」爲證，按陶說是也。詩緜「陶復陶穴」，即此所謂「窟穴」也。

大成謹案檢治要所引，實作「窟室」，引注亦作「窟室，土室」，與御覽引作「窟室」合。陶氏好改古人以從我，葉氏不察，屢爲所欺，于氏於治要亦未繙檢，遽信陶說，並非是也。王校不可易矣。

繆稱篇

聖人之道，猶中衢而致尊邪，過者斟酌多少不同，各得其所宜。

王念孫曰：「致尊」當爲「設尊」，字之誤也。藝文類聚雜器物部、太平御覽居處部二十三、器物部六引此並作「設尊」。

楊樹達曰：致與置同，二字古通用。類書引作設者，疑誤改。

王先生曰：意林引致作置。

鄭良樹曰：玉海八九、永樂大典三五八二引「致尊」作「設尊」。

大成謹案王安石擬和御製賞花釣魚詩李壁注（卷二十五）引「致尊」亦作「設尊」。致之與設，恐是許、高所據本之異。今本繆稱篇是許注，字作致，致借爲置，本經篇「置餘糧於晦首」，御覽九百三十三引置作致；王子年拾遺記七「一里致一銅表」，顏眞卿與郭英乂書「高自標致」，倪雲林題張貞居書卷「今之才士，方高自標致」，諸致字皆借爲置。置、致古通用，故意林、諸子類語四引作「置尊」；宋楊伯嵒臆乘、杜甫千秋節有感詩蔡夢弼箋（卷三十八）引仍作致，喻林四十五、天中記二十四引同，是許本自作致，不作設也。其類聚、御覽引作設者，或是高本。置、設同誼，王氏念孫於此猷未瞭。

勇士一呼，三軍皆辟，其出之誠也。故倡而不和，意而不戴，（意，恚聲也。戴，嗟。）中心必有不合者也。

王念孫曰：高說非也。戴讀爲載，鄭注堯典曰：「載，行也」。言上有其意而不行於下者，誠不足以動之也。下文云：「上意而民載，誠中者也」，高注曰：「上有意而未言，則民皆載而行之」，是其證矣。文子精誠篇正作「意而不載」。（洪頤煊說同）

金其源曰：「意而不戴」即意而不載，謂心知其意而莫之行也。

大成謹案新序雜事四作「動而不隨」，亦謂己有所動而人不從之也，則王、洪說是而金說非矣。韓詩外傳六作「動而不僨」，左傳僖公十五年「亂氣狡僨」，注云：「僨，動也」，亦當謂己有所動而人莫之動；或詩外傳僨是隨字之誤也。

故禹執干戚舞於兩階之間而三苗服。鷹翔川，魚鼈沉，飛鳥揚，必遠害也。鷹懷欲害之心，故鳥魚知其情實，故遠之。

王念孫曰：「遠害」本作「遠實」，此後人以意改之也。據高注云：「鷹懷欲宎宎與肉同，「欲肉」者各本宎字皆誤作害，辯見原道篇「欲寅之心」下。之心，鳥魚知其情實，故遠之」，則本作「遠實」明矣。太平御覽鱗介部四引此正作「遠實」。此承上文「忠信行於內，感動應於外」而言，言禹有忠信之實，故舞干戚而三苗服；鷹有欲肉之實，故魚鳥皆遠之。若無其實而能動物者，則未之有也。後人改「遠實」爲「遠害」，失其指矣。

楊樹達曰：害字文義甚明，注云：「鷹懷欲害之心」，即本文作害之證。王氏云：「正文當作遠實」，果如其說，文止云「遠實」，何以知其爲欲肉之實邪！

大成謹案楊說是也。晏子春秋內篇襍上三十章：「晏子居晏桓子之喪，麤衰，斬，苴絰帶，杖，菅屨，食粥，居倚廬，寢苫枕草。其家老曰：『非大夫喪父之禮也』。晏子曰：『唯卿爲大夫』。曾子以問孔子，孔子曰：『晏子可謂能遠害矣。不以己之是駁人之非，遜辭以避咎，義也夫』」，亦見家語曲禮子夏問，並本于左襄十七年傳。與此文事異而義同。彼文晏子以遜辭遠害，此文魚鳥以沉揚遠害。如果王說，則當亦改爲「遠實」，解爲遠時人嫉害之實乎？御覽實字，明是害字之誤，其引注文「欲害之心」害字則不誤，正當據注以正御覽引文之誤，王氏乃反改注害字作宎，誤矣。其校原道篇「欲害之心」害作宎，誤與此同，詳彼文。王氏過信類書，每爲所誤，亦所謂通人之蔽也。

治國辟若張瑟，大絃組，組，急也。則小絃絕矣。

王念孫曰：組皆當爲絚，字之誤也。絚讀若亙，字本作搄，又作緪，說文：「搄，引急也」，又曰：「緪，急也」，楚辭九歌「緪瑟兮交鼓」，王注曰：「緪，急張弦也」。絚即緪之省文，馬融長笛賦云：「絚瑟促柱」是也。意林及太平御覽治道部五引此並作「大弦絚」，是其證。泰族篇云：「故張瑟者，小弦絚而大弦緩」，義與此同也。高注亦云：「絚，急也」，今本則依文子改爲「小弦急」，并刪去高注矣。藝文類聚治政部上、文選長笛賦注引此並作「小弦絚」，又引高注「絚，急也」，足正今本之謬。鄭良樹曰：王校是也。廣韻十七登、韻府群玉七、洪武正韻十八庚引此，組並作搄。

大成謹案柳宗元初秋夜坐贈吳武陵詩「朱絃緪枯桐」，潘緯音義引淮南子亦作緪。浙局刻莊本已作絚矣。又意林引此文，注作「絚音縆，急也」，不知何人音讀。又案今繆稱、泰族二篇，皆許君注本，此文「絚，急也」之訓，迺許注也。至泰族篇許本實作「故張瑟者，小弦急而大弦緩」，與文子上仁篇同。選注所引，明著「高氏注曰」四字，則高本泰族乃作絚耳。藝文類聚引與選注同，當亦高氏本也。王氏謂今本依文子改，又謂後人刪去高注，其說非也。

昔二鳳凰至於庭。

王念孫曰：劉本作「昔二皇鳳凰至於庭」。此本作「昔二皇鳳至於庭」，文選注、藝文類聚、太平御覽、玉海並引高注：「二皇，宓羲、神農也」，今本脫之。原道篇「泰古二皇」，高彼注與此注同。道藏本皇字倒在鳳字下，因誤而爲凰。劉本補皇字而未刪凰字，各本及莊本同。皆非也。文選長笛賦注、藝文類聚祥瑞部下、太平御覽羽族部二及爾雅翼、玉海祥瑞部引此並作「二皇鳳至於庭」，無凰字。

王先生曰：王說是也。天中記五八引此亦作「二皇鳳至於庭」，並有注云：「伏羲、神農」。宋本作「昔二鳳皇至於庭」，皇字不誤，惟亦倒在鳳字下耳。

鄭良樹曰：王校是也。記纂淵海四引此作「昔者，三皇，鳳至於庭」，惟昔下有者字，二譌作三耳。玉海一九九引此亦作「二皇，鳳至於庭」，並有注云：「伏羲、神農」。劉績曰：「別本注：二皇，伏羲、神農也」，與玉海、天中記五八引注同。

劉殿爵曰：此文「二皇」，疑即原道篇所謂「泰古二皇」。

大成謹案王應麟周書王會篇補注引亦作「二皇鳳至於庭」。藝文類聚、太平御覽引昔下亦並有者字。又案此文許、高二注同。御覽是許本，注作「宓義」，與說文㚖字、蝝字說合；類聚是高本，注作「伏犧」，與原道篇注合。選注明引高誘曰，自是高本，「伏犧」字誤作義，玉海承其誤，天中記又承玉海之誤，遂致許、高不分。王氏念孫之時，蘇魏公集未出，不知有二家之異，遂以諸書所引，並屬之高。然不問高、許，此二皇即原道之「泰古二皇」矣，劉說是也。原道篇許注與高義同，見異同詁。至劉績所謂別本者，實即太平御覽。近人于劉本推崇太過，或以爲邁越景宋，或以爲所據爲別一宋本，皆非是也。

齊俗篇

古者民童蒙不知東西。

王念孫曰：「東西」當爲「西東」，東與蒙爲句中韻。猶覽冥篇言「浮游不知所求，罔兩不知所往」也。若作「東西」，則失其韻矣。文子道原篇作「不知東西」，亦傳寫之誤，其精誠篇正作「不知西東」。

大成謹案王說是也。文子道原篇道藏纘義本、又朱弁注本、寶曆本正作「西東」，可正淮南之誤。

夫蝦蟇爲鶉，水蠆爲蟌莣，青蛉也。皆生非其類。

王念孫曰：「水蠆爲蟌莣」本作「水蠆爲蟌」。玉篇：「蟌，千公切，蜻蛉也」，廣韻引淮南子：「蝦蟇爲鶉，水蠆爲蟌」，太平御覽蟲豸部六所引與廣韻同，又引注云：「老蝦蟇化爲鶉，水中蠆蟲化爲蟌。蟌者，蜻蜓也」，此蓋許注。說林篇「水蠆爲蟌」，高注曰：「水蠆化爲蟌。蟌，青蜓也」，皆其明證矣。今本作「水蠆爲蟌莣」者，蟌爲蟌之誤，莣爲葱之誤。葱，俗書蔥字也，與蟌同音，校書者記葱字於蟌字之旁，而寫者因誤合之耳。

陶方琦曰：御覽九百四十九引舊注曰：「老蝦蟇化爲鶉，水中蠆蟲化爲蟌。蟌，蜻蜓也」，此皆是許注。

大成謹案王說「水蠆爲蟌莣」本作「水蠆爲蟌」，是也。王引廣韻，見上平一東，集韻亦引淮南子「水蠆爲蟌」，特不知所引是此文，抑說林篇之文爾。唯王、陶並以御覽所引是許注，則大謬也。

今齊俗篇是許注，作「青蛉」，玉篇多用許義，字作「蜻蛉」，蛉字同，是許注作「青蛉」也。御覽引注，與說林同，字並作「蜻蜓」，是高作「蜻蜓」也。

夫明鏡便於照形，其於以函食，不如簞。

王念孫曰：「函食不如簞」本作「承食不如竹箅」，（箅，博計反。）今本承誤爲函，箅誤爲簞，（箅誤爲箄，又誤而爲簞。）又脫去竹字耳。說文：「箅，蔽也，所以蔽甑底」。承讀爲「烝之浮浮」之烝，謂用以烝食也。（太平御覽器物部引此作「蒸食」。）今人猶謂甑中蔽爲箅子。世說云：「客詣陳太邱宿，太邱使元方、季方炊。二人委而竊聽，炊忘箸箅，飯落釜中」是也。說山篇云：「樊箅甑瓾在旃茵之上，雖貪者不搏」，是箅爲物之賤者。然明鏡雖貴，若用以蔽甑底，則氣不上升而食不熟；竹箅雖賤，而可以烝食。故下文云：「物無貴賤，因其所貴而貴之，物無不貴；因其所賤而賤之，物無不賤也」。鏡形圓，箅形亦圓，故連類而及之；若簞笥之屬，則擬之不於其倫矣。且箅與蜧爲韻，（蜧音戾。）若作簞，則失其韻矣。太平御覽服用部鏡下引淮南子「明鏡便於照形，承食不如竹簞」，雖承字不誤，而簞字已與今本同。然器物部箅下又引淮南子「明鏡可鑑形，蒸食不如竹箅」，是則服用部作簞者，後人據誤本淮南改之耳。北堂書鈔服飾部鏡下引作「承食不如竹簞」，簞亦箅之誤。

大成謹案王說簞當爲箅，箅上奪竹字，是也。王楨農書十七引作箄，然其上文引說文，知本是箅字也。御覽器物部亦誤箄，且引在箅字下，與農書同，王氏逕引作箄字矣。又案書鈔百三十六鏡下兩引、御覽七百五十七箄下、農書引函皆作蒸，唯御覽七百十七引作承，（天中記四十九同，迺襲御覽之文。）王氏何不逕校函爲蒸，必舉孤證斷其爲承，亦殊可異，（王引書鈔作「承食」，檢孔氏校注本兩引皆作蒸。）固曰函字與承形近，與蒸不近，然函之與烝不亦相近也！御覽七百五十七引裴玄論云：「尹氏鏡蒸食不如三錢竹箄」，（箄當作算。）亦作蒸字。御覽七百十七引玄中記曰：「尹壽作鏡」，即裴玄論所謂尹氏鏡矣。留存事始云：「堯之臣」。

見雨則裘不用，升堂則蓑不御，此代爲常者也。

陳昌齊曰：常當爲帝，字之誤也。（太平御覽服章部十一引此已誤。）「代爲帝」謂裘與蓑迭爲主也。說林篇曰：「旱歲之土龍，疾疫之芻靈，是時爲帝者也」，莊子徐無鬼篇曰：「堇也，桔梗也，雞廱也，豕零也，是時爲帝者也」，義並與此同。

鄭良樹曰：陳校是也。天中記四七引此，常正作帝。

大成謹案宋本御覽引正作帝，未誤爲常也，下又引注云：「代，更也。帝王貴」，唯未敢必其爲許爲高。

故水擊則波興，氣亂則智昏。智昏不可以爲政，波水不可以爲平。

王念孫曰：「水擊」當爲「水激」，聲之誤也。群書治要引此正作激。氾論篇亦云：「水激與波」。

大成謹案莊子逍遙遊「水擊三千里」，一切經音義八十七、御覽九百二十七引擊作激，文選盧子諒時與詩注、一切經音義十四、十八、五十九、六十八、七十八、九十並引莊子司馬注「流急曰激」，是司馬本莊子作激也。李白大鵬賦「激三千以崛起」，即用莊文，字亦作激。淮南此文，亦出于莊，擊字與莊同，知不誤矣。氾論篇作激，文子下德篇同，正見二字可以通作。又兵略篇「若雷之擊」，意林引擊作激；列子湯問「以激夾鐘」，殷釋文云：「激音擊」；論衡雷虛篇「雷者，太陽之激氣也」，玉燭寶典引激作擊，續一切經音義二、四、五、七凡六引，其中五引作擊，一引作激；酉陽雜俎貝篇「遂激窣至其前」，激一作擊。知二字通用，唐已前如此。此文擊字，浙江局校莊本改作激，蓋從雜志之說矣。

禹有洪水之患，陂塘之事，故朝死而暮葬。

王念孫曰：「禹有洪水之患」各本有作遭，乃後人以意改之。文選海賦注、應璩與從弟君苗君胄書注、太平御覽禮儀部三十四引此並作有。

鄭良樹曰：玉海二十引此，遭亦作有。

大成謹案海賦注連引高誘注，御覽亦引之，是選注、御覽所引，並是高本。高自作有，未可執彼以改此許本也。又案玉海所引是海賦注，厚齋標之甚明，鄭君乃謂引淮南，失之。

今屠牛而烹其肉，或以爲酸，或以爲甘。

王念孫曰：言或用酸，或用甘也。兩爲字皆後人所加。北堂書鈔酒食部四、太平御覽資產部八、飲食部十一引此，皆無兩爲字。

大成謹案王說是也。萬卷菁華十三引此文，亦無兩爲字。

若夫規矩鉤繩者，此巧之具也，而非所以巧也。

王念孫曰：「巧也」上當有爲字。下文云：「故弦，悲之具也，而非所以爲悲也」，與此相對爲文。太平御覽工藝部九引此正作「非所以爲巧」，文子自然篇同。

鄭良樹曰：王氏謂「非所以巧也」當作「非所以爲巧也」，其說疑是；謂文子「巧也」上亦有爲字則非，王氏失檢。

大成謹案王說是，鄭說非。文子有爲字，王引未誤，鄭君失檢。

辟若俔之見風也，俔，候風雨也。世所謂五兩者也。無須臾之間定矣。

莊逵吉曰：文選注引俔作綄，許愼注云：「綄，候風也，楚人謂之五兩」。此字義當作綄爲是。

王念孫曰：莊以俔爲綄之譌，是也。道藏本、朱本並作「俔，候風雨也」，雨乃羽字之譌。劉本改爲「候風雨者」，茅本又改爲「候風者也」，而莊本從之，誤矣。廣韻：「綄，船上候風羽」，北堂書鈔舟部二十引注云：「綄者，候風之羽也」，太平御覽舟部四引許注云：「綄，候風羽也」，今本羽譌作扇。則高注雨字明是羽字之譌。文選江賦注引許注作「候風也」者，傳寫脫羽字耳。

陶方琦曰：俔乃綄字之譌，雨乃羽字之譌。玉篇：「綄，候風五兩也」，廣韻二十六桓：「綄，船上候風羽，楚人謂之五兩」，又二十四緩綄下云：「候風羽，出淮南子」，是許注舊本作綄明矣。

葉德輝曰：唐本玉篇阜部引作「若院之見風」，引注云：「院，候原誤作便，據系部改。風羽也，楚人謂之五兩」，系部綄下引同，而云：「或作院字，在阜部」。

劉文典曰：記纂淵海卷二引北堂書鈔云：「候風之羽，楚人曰五兩」，與今本書鈔所引許注小異，而與廣韻正同，必宋人所見眞本如此也。

大成謹案集韻平聲二十六桓：「綄，船上候風羽，楚謂之五兩」，又上聲二十四緩：「綄，船上候風羽」，並可證俔之當爲綄，雨之當爲羽。李白送崔氏昆季之金陵詩楊注（分類補注十八）引許愼注：「楚人謂之五兩」，亦可證許注不當作「世所謂五兩者也」。（集註東坡詩二十三至眞州再和二首之一趙次公註引選注同）開元占經九十一：「凡候風，必於高平暢達之地立五丈竿，以雞羽八兩爲葆，屬竿上。候風吹羽葆平直則占。羽必用雞，取其屬巽而能知時。羽重八兩，以相八風。竿長五丈，以法五音。今按古書云：立三丈五尺竿，以雞羽五兩係其端，羽平則占。然則長短輕重惟其適宜，不在過泥。但須出眾中，不被隱蔽，有風即動，直而不激，便可占候。羽毛必須五兩以上，八兩以下：蓋羽重則難舉，輕則易平。時常占候，必須用烏；行軍權設，取便用羽。作葆之法，取雞羽中破之，取其毛多處，以細繩緊縛，內中夾之，長三四尺許，屬竿上。其獨鹿、扶搖、四轉、五復之風，各以形狀占之」，然則葆以雞羽，故曰候風羽；重五兩已上，故曰五兩耳。古今注輿服：「伺風烏，夏禹所作也」，五兩蓋其遺制。天寶遺事又載五王宮中各置相風旌，亦其類。又案御覽七百七十一引綄下有音讀「胡管切」，又卷九有「綄音緩」，各不知何人之音。又案御覽九引注作「候風者也，世所謂五兩」，者亦當爲羽，其「世所謂五兩」與今注同，然則宋初固有如此作者，其本在蘇頌校定之前，是否所引爲高注，而今本迺後人以高注相亂，則未敢臆斷矣。

治世之體易守也，其事易爲也，其禮易行也，其責易償也。是以人不兼官，官不兼事，士農工商，鄉別州異。

王念孫曰：「治世之體」，群書治要引此，體作職，是也。「職易守」、「事易爲」、「禮易行」、「責易償」，四者義並相近。若作體，則與守字義不相屬，且與下三句不類矣。文子下德篇亦作「職易守」。下文云：「萇宏、師曠不可與眾同職」，又其一證矣。

大成謹案王說是也。治要引愼子云：「士不兼官則職寡，職寡則易守」，卽此「職易守」一也。

故伊尹之興土功也，脩脛者使之跖钁，（長脛以蹋插者，使而入深。）

王念孫曰：太平御覽地部二、器物部九引此，钁並作鏵，鏵字是也。鏵卽臿也。跖，蹋也。（文選舞賦注引淮南許注如此。）故高注言「蹋插」。說文：「芣，（玉篇胡瓜切。）兩刄臿也。宋魏曰芣，或作釫」，玉篇云：「今爲鏵」，方言云：「臿，宋魏之閒謂之鏵」，高注精神篇云：「臿，鏵也，青州謂之鏵」，釋名云：「鍤或曰鏵。鏵，刳也，刳地爲坎也」，芣、釫、鏵字異而義同。（臿、鍤、插亦同。）今人謂臿爲鏵鍬是也。使長脛者蹋臿，則入地深而得土多，故高注曰：「長脛以蹋插者使入深也」，後人不識鏵字，遂妄改爲钁。（埤雅引此作钁，則所見本已然。）案說文：「钁，大鉏也」，鉏以手揮，非以足蹋，不得言跖钁，且高注明言「蹋插」，不言「蹋钁」。

王先生曰：劉子新論適才篇钁作鍤，正可證淮南子钁本作鏵也。

大成謹案鏵字是也。王楨農書十三兩引此文，字並作鏵。又案此文許、高二本不同，御覽、農書引此文，「脩脛」並作「脩腳」，跖並作蹠，蹠下有音讀「音隻」。說文二下足部：「跖，足下也」

，又：「蹠，楚人謂跳躍曰蹠」，故許本作跖，高本作蹠，許用本字，高用借字也。御覽七百六十四器物部九引注文作「長腳者蹠得土多，鍤入土深也」，農書引作「長腳者蹠鏵，得土多也」，則御覽引鍤字當在蹠字下，文作「長腳者蹠鍤，得土多，入土深也」，此必高注如此，故視今本許注稍詳。今許注作「長脛以蹋插者，使而入深」，者字當在脛字下，使當爲便，作「長脛者以蹋插，便而入深」，高卽本于此。

道應篇

王壽負書而行，見徐馮於周。徐馮曰：事者，應變而動。變生於時，故知時者無常行。書者，言之所出也。言出於知者，知者藏書。

王念孫曰：「知者藏書」本作「知者不藏書」，與「知時者無常行」相對爲文。今本脫不字，則與上下文不相屬矣。太平御覽學部十三引此有不字，韓子喻老篇同。

大成謹案文子道原篇「藏書」上有非字，則王校是也。又案知下當有言字，「知言者不藏書」與上「知時者無常行」相對爲文，北堂書鈔一百一引韓子有言字。又集證本于「知者」上補故字，與上一例。

令尹子佩請飮莊王，莊王許諾。子佩疏揖北面立於殿下，曰：昔者君王許之，今不果往，意者臣有罪乎？

王念孫曰：太平御覽人事部一百九引「莊王許諾」下有「子佩具於京臺，莊王不往。明日」共十二字，今本脫去，當補入。文選應璩與滿寵書注引此，「子佩」作「子瑕」，亦云：「子瑕具於京臺，莊王不往」，京、强二字古同聲而通用，故今本「京臺」作「强臺」。（莊逵吉說同）

大成謹案北堂書鈔八十五引此文，「莊王許諾」下亦有「子佩具，王不往」六字，文雖節略，而今本之有奪文則無疑。國策魏策二作「强臺」，與今本淮南同，作强者是許本。選注、御覽作京，選注又下引高注，與今高注本原道篇「豈必處京臺、章華」（高注：「京臺、章華皆楚之大臺」。）字同，是高本作京也。又選注引「子佩」作「子瑕」，是高本作「子瑕」。考左傳昭十七年：「吳伐楚，陽匄爲令尹」，杜注曰：「陽匄，穆王曾孫，令尹子瑕」。魯昭十七年，當楚平王五年，上去莊王之薨凡七十年，則子瑕不得爲莊王之相。

襄子起兵攻圍之，未合，而城自壞者十丈。

王念孫曰：此當作「襄子起兵攻之，圍未合，而城自壞者十丈」。今本之、圍二字誤倒，則文不成義。太平御覽兵部四十九引此不誤。韓詩外傳作「襄子興師而攻之，圍未帀，而城自壞者十丈」，新序雜事篇作「襄子率師伐之，圍未合，而城自壞者十堵」。

大成謹案王校是也。通鑑外紀十作「襄子興師攻之，圍未合，而城自壞者十堵」，蓋參用韓詩外傳與新序文也。

成王問政於尹佚曰：吾何德之行而民親其上？對曰：使之時，而敬順之。

王念孫曰：「使之時，而敬順之」，（順與慎同。）時上當有以字。說苑政理篇、文子上仁篇並作「使之以時」，是其證。

大成謹案王說是也。此文脫胎於論語學而篇，子曰：「道千乘之國，敬事而信，節用而愛人，使民以時」。此文上承「民親其上」，故云「使之以時」，即論語之「使民以時」也。

將軍與軍吏謀曰：今日不去，楚君恐取吾頭。

王念孫曰：「楚君」當爲「楚軍」，聲之誤也。郤正傳注、太平御覽引此並作「楚軍」。

顧廣圻曰：宋本君作軍，是。王先生叔岷說同

鄭良樹曰：記纂淵海五七引此，「楚君」亦作「楚軍」。

大成謹案羣書類編故事十八引「楚君」亦作「楚軍」。

顧見盧敖，慢然下其臂，遯逃乎碑。匿於碑陰。

王念孫曰：碑下脫去下字。碑或作崥，太元增上九「崔嵬不崩，賴彼峡崥」，玉篇：「峡，於兩切。崥，方爾切」。范望曰：「峡崥，山足也」。下者，後也。見大雅下武箋、周語注。謂遯逃乎山足之後，故高注曰：「匿於碑陰」也。太平御覽地部二引此，已脫下字。藝文類聚靈異部上引作「崥下」，蜀志注引作「碑下」，論衡道虛篇同。

王先生曰：事文類聚前集三四、合璧事類前集五十碑下並有下字。

大成謹案羣書類編故事引下字未奪，雲笈七籤一百九引神仙傳同。

若我南游乎岡㝗之野。

王念孫曰：舊本罔誤作岡，考論衡、蜀志注、太平御覽及洪興祖楚辭遠遊補注並作「罔良」。

王先生曰：岡當爲罔，字之誤也。楚辭遠遊補注引此正作「罔㝗」。事類賦六、事文類聚、合璧事類並引作「罔罠」，論衡作「罔浪」，皆同。

鄭良樹曰：永樂大典八八四五、韻府羣玉八引「岡㝗」亦並作「罔罠」。天中記十六引此作「罔㝗」。

大成謹案羣書類編故事引岡亦作罔。

東開鴻濛之光。

王念孫曰：開當爲闢。闢與貫同。「東貫鴻濛之光」，謂東貫日光也。司馬相如大人賦「貫列缺之倒景」，義與此貫字同。太平御覽、楚辭補注引此作「東開鴻濛之光」，則所見本已誤。論衡作「東貫鴻濛之光」，蜀志注引此作「東貫鴻濛之光」。貫、闢古字通，則開爲闢之誤明矣。

王先生曰：事文類聚、合璧事類引此亦並作「東貫鴻濛之光」。

鄭良樹曰：永樂大典、韻府羣玉引此亦並作「東貫鴻濛之光」。

大成謹案羣書類編故事引此亦作「東貫鴻濛之光」。

吾與汗漫期于九垓之外，九垓，九天之外。吾不可以久駐。

王念孫曰：「九垓之外」本作「九垓之上」，高注本作「九垓，九天也」。俶眞篇「徙倚於汗漫之宇」，高注引此文云：「吾與汗漫期於九垓之上」，漢書禮樂志郊祀歌「專精厲意逝九閡」，如淳曰：「閡亦陔也。淮南子曰：吾與汗漫期乎九陔之上。陔，重也，謂九天之上也」，司馬相如傳封禪文「上暘九垓」，如淳注所引亦與前同。又論衡及蜀志注、太平御覽、文選郭璞遊仙詩注、張協七命注並引作「九垓之上」，（李白廬山謠「先期汗漫九垓上，願接盧敖遊太清」，卽用此篇之語，則李所見本亦作「九垓之上」。）御覽又引高注云：「九垓，九天也」，此皆其明證矣。後人既改「九垓之上」爲「九垓之外」，復於注內加「之外」二字以曲爲附會，甚矣其妄也。

王先生曰：王說是也。事類賦、事文類聚、合璧事類、天中記一引此亦並作「九垓之上」。事類賦引注亦作「九垓，九天也」。

鄭良樹曰：永典大典、韻府羣玉、洪武正韻八引此，「九垓之外」亦並作「九垓之上」。

大成謹案蘇軾壬寅二月有詔令郡吏分往屬縣減決囚禁歸作詩五百言以記凡所經歷者寄子由詩程縯注（集註分類東坡詩一）、又和王斿詩李厚注（同上十九）、小學紺珠一、羣書類編故事引亦作「九垓之上」，七籤引神仙傳同。

昔吾見句星在房、心之間，地其動乎？（句星，各星也。駟，房。句星守房、心則地動也。）

王念孫曰：劉本注文「房星」作「駟、房」，（朱本、漢魏叢書本並同。）案正文本作「句星在駟、心之閒」，注本作「駟，房星。句星守房、心則地動也」。道藏本注文「房星」上脫駟字，劉本房下脫星字，若正文之「駟、心」作「房、心」，則涉注文「守房、心」而誤也。莊伯鴻不知正文房爲駟之誤，又改注文之「駟、房」爲「房、駟」以就之，斯爲謬矣。駟爲房之別名，故須訓釋；若房、心爲二十八宿之正名，則不須訓釋，（爾雅：「天駟，房也」，以房釋天駟，不以天駟釋房。）高注釋駟而不釋心，卽其證也。晏子春秋外篇作「昔吾見鉤星在四、心之閒」，卽淮南所本。（鉤與句同，四與駟同。）

鄭良樹曰：論衡變虛篇作「昔吾見鉤星在房、心之間，地其動乎」，卽本於淮南子，字亦作「房、心」，則作「房、心」者不誤矣。黃暉論衡校釋變虛篇注曰：「讕告篇、變動篇、恢國篇並作『房、心』，則房字不誤。仲任所據淮南然也。天官書亦云：『鉤星出房、心間地動』。房、駟異名同實，房四星而稱爲四，猶心三星而稱爲三。晏子作四，淮南作房，當各依本書」。黃說疑是。劉本注文與道藏本合，王氏恐失檢。（北宋本、朱本並同。）

大成謹案王說正文房當爲駟，是也。許注（王氏誤以爲高注。）云：「駟，房」，卽正文作駟之明證；苟正文是房字，此注爲無的放矢矣。至王氏謂注本作「駟，房星」，則非也。此注本無星字，與爾雅同，王氏誤據道藏輯要本，彼本以正文無駟字，故改「駟、房」爲「房星」，王氏參合劉本，遂以爲注文當作「駟，房星」耳。至論衡作「房、心」，或是據史記改，自當各依本書。鄭以黃說爲是，其說非也。

氾論篇

今謂彊者勝，則度地計眾；富者利，則量粟稱金；若此則千乘之君無不霸王者，而萬乘之國無不破亡者矣。

王念孫曰：「無不霸王」、「無不破亡」兩不字皆後人所加。此言千乘小而萬乘大，若彊者必勝，富者必利，則是千乘之君必無霸王者，萬乘之國必無破亡者矣。而不知國之興亡，在得道與失道，不在大與小也。故下文曰：「存在得道，而不在於大；亡在失道，而不在於小」。後人不曉文義而妄加兩不字，其失甚矣。

劉文典曰：王謂「無不破亡」之不爲後人所加，是也。然上「無不霸王」之不，則實非衍文。蓋上句言千乘之君之必興，下句則言萬乘之國之不敗。下不字乃涉上不字而衍耳。羣書治要引此文，有上不字，無下不字，是其證。

劉殿爵曰：王謂千乘指小國，萬乘指大國，則是也；謂兩不字後人所加，則非也。此文千、萬二字，當係傳鈔誤易，原作「若此則萬乘之君無不霸王者，而千乘之國無不破亡者矣」，正謂大國之君無不霸王而小國無不破亡也。

大成謹案王說是也，二劉說並非。鶡冠子武靈王篇云：「今世之言兵也，皆強大者必勝，小弱者必滅，是則小國之君無霸王者，而萬乘之主無破亡也」，則此文兩不字之爲不曉文義而妄加無疑矣。

夫顏喙聚，梁父之大盜也，而爲齊忠臣。

王念孫曰：喙當爲啄，字之誤也。顏啄聚，左傳哀二十七年、呂氏春秋尊師篇、韓子十過篇並作顏涿聚，韓詩外傳作顏斲聚，說苑正諫篇作顏燭趨，漢書古今人表作顏燭雛，晏子春秋外篇作顏燭鄒，並字異而義同。啄與涿、斲、燭聲並相近，喙則遠矣。啄、喙二字，書傳往往相亂。

王先生曰：王校是也。劉子新論妄瑕篇作顏燭鄒。啄與燭聲亦相近。

鄭良樹曰：記纂淵海五七引此正作顏啄聚，可證王說。

大成謹案韓子外儲說左下、羣書治要引尸子勸學篇、禮記月令孟冬鄭注、左傳哀二十三年杜注作顏涿聚，御覽四百三十七引尸子作顏歜聚，史記孔子世家作顏濁鄒，說苑正諫篇又作燭雛，並音近。

故賞一人而天下爲忠之臣者莫不終忠於其君，此賞少而勸善者衆也。

王念孫曰：「此賞少而勸善者衆也」當作「此賞少而勸衆者也」。上文云：「古之善賞者，費少而勸衆」，正與此句相應，下文曰：「此刑省而姦禁者也」，「此用約而爲德者也」，「此入多而無怨者也」，句法並與此同。今本「衆者」二字誤倒，又衍一善字。善字涉下文「勸善」而衍。

大成謹案王說似矣，而未盡是。此當作「此費少而勸衆者也」，迺與上文相應。賞字涉上而誤。此下三段結語並與上總目相應。

故馬免人於難者，其死也，葬之。

王念孫曰：藝文類聚獸部上，太平御覽禮儀部三十四、獸部八引此，並作「故馬免人於難者，其死也，葬之以帷爲衾」。今本「葬之」下脫去「以帷爲衾」四字。

大成謹案王校是也。記檀弓下引孔子曰：「敝帷不弃，爲埋馬也」，漢陳湯傳曰：「夫犬馬有勞於人，尙加帷蓋之報」，並可證「葬之」下有奪文。

故炎帝於火，死而爲竈。炎帝，神農。以火德王天下，死託祀於竈神。

王念孫曰：「炎帝於火」本作「炎帝作火」。太平御覽火部二引作於，亦後人依誤本改之。其居處部十四引此正作作。史記孝武紀索隱、藝文類聚火部、廣韻竈字注引此，並作作。

王　鎣曰：韻會引淮南子作「炎帝作火，而死爲竈神」，黃在軒所見，必古本也。

大成謹案太平御覽百八十六（居處部十四）引此作「黃帝作竈，死爲竈神」，（天中記十五引同。）事物紀原八、野客叢書二十引作「炎帝王於火，死而爲竈」。考續事始云：「竈，黃帝置」，則御覽百八十六引作「黃帝作竈」者不誤。今高注云：「炎帝以火德王天下」，不言作火；且兵略篇云：「炎帝爲火災，故黃帝擒之」，更不得以作火託祀於竈神也。且鑽木取火，始燧人氏，見於含文嘉，高氏不容不知，今乃唫口不言，知其所據本不作「作火」也。疑此文許、高二本大異；高本當如事物紀原、野客叢書引作「炎帝王於火」，左氏昭十七年郯子傳「炎帝氏以火紀，故爲火師而火名」是也。史記索隱引作「炎帝作火官」，作火官與王於火亦相因。御覽百八十六引作「黃帝作竈」者，則許本矣。至藝文類聚、廣韻、韻會引作「炎帝作火」，迺二本相亂所致，御覽八百六十九（火部二）引作「炎帝於火」，（廣博物志十四、萬卷菁華十四引同。）於上奪王字。王氏於許、高之異大不憭，所校未是。唯下文禹、稷、羿並以功德爲神，則此處許本優而高本劣。

后稷作稼穡，而死爲稷。（稷，周弃也。）

王念孫曰：「后稷」本作「周棄」，此亦後人以意改之也。昭二十八年左傳曰：「周棄亦爲稷，自商以來祀之」，魯語曰：「夏之興也，周棄繼之，故祀以爲稷」，此皆淮南所本。藝文類聚禮部中、太平御覽禮儀部十一引此並作「周棄」。高注當云：「周棄，后稷也」，今本云：「稷，周棄也」，此亦後人所改。

大成謹案御覽引無「稷，周弃也」之注，引注作「種曰稼，斂曰穡。死託於祀稷官之神」。「於祀」二字誤到，當依上下諸注乙正。依王氏校，高此注當云：「周弃，后稷也。種曰稼，斂曰穡。死託祀於稷官之神」。

詮言篇

故聖人損欲而從事於性。

王念孫曰：此本作「故聖人損欲而從性」，上文曰：「欲與性兩害，不可兩立」，故此言「損欲而從性」也。後人改「從性」爲「從事於性」，則似八股中語矣。文子符言篇正作「損欲而從性」。太平御覽方術部一引此作「損欲而存性」，雖存與從不同，而皆無「事於」二字。

大成謹案宋本御覽引貫亦作「故聖人損欲而從事於性」，與今本淮南同，非如王氏所引也。損當爲捐，謂捐棄其欲也。集證改作捐，是也。

鏡不沒於形，故能有形。

王念孫曰：沒當爲設，字之誤也。鏡本無形，物來而後有形，故曰：「鏡不設於形」，作沒則義不可通矣。文選演連珠注引此作「鏡不設形，故能有形」，文子上德篇作「鏡不設形，故能有形」，是其證。

大成謹案選注又接引高誘曰：「鏡不豫設人形貌，清明以待人形，形見則見之」，益可證沒爲設之誤文。彼所引雖高本，今許本固亦當爾也。

金石有聲，弗叩弗鳴；管簫有音，弗吹無聲。

王念孫曰：劉本依文子改「弗聲」爲「無聲」，而諸本皆從之。（莊本同。）案劉改非也。白虎通義曰：「聲者，鳴也」。言管簫有音，弗吹弗鳴也。兵略篇曰：「彈琴瑟，聲鍾竽」，亦謂鳴鍾竽也。劉誤以聲爲聲音之聲，故依文子改之耳。「金石有聲」，「管簫有音」，音亦聲也。（此謂聲音之聲。）「弗叩弗鳴」，「弗吹弗聲」，聲亦鳴也。（與聲音之聲異義。）若云「弗吹無聲」，則與上文不類矣。

劉殿爵曰：道藏本已作「無聲」，則非劉績所改。

大成謹案意林引文子上德篇作「不聲」，弗、不誼同。今本文子作「無聲」，迺後人所改。喻林六十六引淮南，正作「弗聲」。

聖人無屈奇之服，（屈，短。奇，長也。服之不中，身之災也。）無瑰異之行。

王念孫曰：「屈奇」猶「瑰異」耳。周官閽人「奇服怪民不入宮」，鄭注曰：「奇服，衣非常」。「屈奇之服」卽「奇服」也。司馬相如上林賦「摧崣崛崎」，義與「屈奇」相近。「屈奇」雙聲字，似不當分爲兩義也。

大成謹案晏子內篇問上十六章「朝無奇僻之服」，卽此「屈奇之服」也。又諫下十三章：「景公爲履，黃金之綦，飾以銀，連以珠，良玉之絇，其長尺」，可以釋此「屈奇之服」之義。

自身以上至於荒亡，爾遠矣，自死而天地無窮，爾滔矣。

王念孫曰：兩爾字義不可通。劉本爾作亦，是也。

王先生曰：王校是也。朱本、茅本、漢魏叢書本兩爾字亦並作亦。

鄭良樹曰：王鎣本兩爾字亦作亦。

大成謹案喻林四十三引兩爾字亦作亦

兵略篇

故同利相死，同情相成，同欲相助。

王念孫曰：「同欲相助」當作「同欲相趨，（趨，七句反，向也。）同惡相助」。今本上句脫「相趨」二字，下句脫「同惡」二字。「同欲」、「同惡」相對為文，且利、死為韻，情、成為韻，欲、趨為韻，惡、助為韻。欲與助則非韻矣。史記吳王濞傳：「同惡相助，同好相留，同情相成，同欲相趨，同利相死」，是其證。（文子自然篇作「同行者相助」，此以意改耳。呂氏春秋察微篇亦云：「同惡固相助」。）

大成謹案王校是也。六韜武韜發啓篇亦云：「同病相救，同情相成，同惡相助，同好相趨」，可證王說。

維枹綰而鼓之。（綰，貫。枹係於臂，以擊鼓也。）

王念孫曰：「維枹綰而鼓之」殊為不詞。一切經音義二十引此作「綰枹而鼓之」，無維字，是也。

枹字本在絹字下，故高注先釋絹，後釋枹。因枹字誤在絹字上，後人又以高注言「枹係於臂」，因加維字耳。不知絹字已兼維係之義，無庸更言維也。

王先生曰：王校是也。古鈔卷子本正作「絹枹而鼓之」。

大成謹案唐本玉篇糸部絹字下引亦無維字，而維字下不引此文。尉繚子兵令篇「將提枹而鼓之」，句法與此同，亦其比。

發如秋風，

王念孫曰：此本作「發如猋風」，今本「猋風」作「秋風」，字之誤也。舊本北堂書鈔武功部六引此作「炎風」，炎亦猋之誤。發如猋風，言其疾也。漢書韓長孺傳「匈奴，輕疾悍亟之兵也，至如猋風，去如收電」，顏師古曰：「猋，疾風也」，故月令「猋風暴雨總至」，呂氏春秋孟春篇作「疾風」。若作「秋風」，則非其指矣。

大成謹案檢孔氏刻本書鈔，正作「猋風」，王校甚礭。

將已受斧鉞，答曰：國不可從外治也，軍不可從中御也。二心不可以事君，疑志不可以應敵。臣既以受制於前矣，鼓旗斧鉞之威臣無還請，願君亦以垂一言之命於臣也。

王念孫曰：「亦以垂一言之命」以當爲無，今作以者，涉上文「既以」而誤。軍不可從中御，故曰「臣無還請，君亦無垂一言之命於臣」，兩無字相因爲義。今本下無字作以，則義不可通。太平御覽兵部五引此正作無。

大成謹案此非淮南誤，迺校者誤也。臣既已受命於前，故鼓旗斧鉞之威由臣專之，不復還請。此不復還請之事，事非得已，非敢專擅，故曰：願君垂一言之命以允之也。君垂一言之命，指「鼓旗斧鉞之威臣無還請」而言。六韜作「臣既受命專斧鉞之威，不敢還請，（治要引如此。）願君亦垂一言之命於臣」，可證也。王氏不繹文義，欲據御覽誤文以改此不誤之文，謬！劉家立不知王校之謬，從其說改正文以字爲無，益謬！

說山篇

詹公之釣，千歲之鯉不能避。（詹公，詹何也，古得道善釣者，有精之術，故得千歲之鯉也。）曾子攀柩車，引輴者爲之止。老母行歌而動申喜，精之至也。

王念孫曰：「千歲之鯉不能避」本作「得千歲之鯉」，高注「故得千歲之鯉也」，是其證。今本作「千歲之鯉不能避」者，句首脫去得字，則文不成義，後人不解其故，遂於句末加「不能避」三字耳。（初學記鱗介部，太平御覽資產部十四、鱗介部八引此並作「詹公之釣，千歲之鯉」，則所見本已脫得字，但尚無「不能避」三字。埤雅云：「詹何之釣，千歲之鯉不能避」，則所見本已有此三字矣。）此文以鯉、止、喜三字爲韻。如今本，則失其韻矣。

大成謹案廣韻去聲三十四嘯釣字注、事類賦注二十九引同初學記、御覽。杜甫觀打魚歌黃鶴注、韻府羣玉十八嘯釣字注同。「不能避」三字的是後加無疑。王說是也。

申徒狄負石自沉於淵，而溺者不可以爲抗。弦高誕而存鄭，誕者不可以爲常。（誕非正也，故曰不可以爲常也。）

王念孫曰：誕下不當有者字，此涉上文「溺者」而誤。高注曰：「誕非正也，故曰不可爲常」，則無者字明矣。泰族篇「弦高誕而存鄭，誕者不可以爲常」，亦無者字。

鄭良樹曰：「弦高誕而存鄭，誕者不可以爲常」與上文「申徒狄負石自沉於淵，而溺者不可爲抗」相對爲文。若誕下無者字，則句法參差矣。高注「誕非正也，故曰不可以爲常」，不足據以知正文本無者字。泰族篇「子囊北而全楚，北不可以爲庸。弦高誕而存鄭，誕不可以爲常」，彼誕下無者字，亦上下文相對耳。王氏據彼以正此，失之於泥矣。

大成謹案此文之義，謂弦高以誕謾而存鄭，（唐本玉篇卷子引此文許注云：「誕，謾也」。）然誕謾之事不可以爲常，非謂誕謾之人也。與上句溺者不可以爲高行，文義相對。古人行文，不必字字相對一如後之四六文，正足以見其錯落參差之妙。如荀子勸學篇之「玉在山而木潤，淵生珠而崖不枯」，亦但取文義相對爾；後人依淮南於木上增草字，取其字數相對，翻不能相對矣。泰族篇「子囊北而全楚」云云，亦謂敗北之事不可以爲常，非謂敗北之人爾也。高注「誕非正也」，正見所據本無者字，王說是也，鄭說泥矣。

千年之松，下有伏苓，上有兎絲。（伏苓，千歲松脂也。兎絲生其上而無根。一名女蘿也。）上有叢蓍，下有伏龜。聖人從外知內，以見知隱也。

王念孫曰：「千年之松」四字，後人所加也。此言聖人從外知內，以見知隱。故上有兎絲，則知下有伏苓，（以下二句例之，則此當云：「上有兎絲，下有伏苓」，今云：「下有伏苓，上有兎絲」者，變文協韻耳。）上有叢蓍，則知下有伏龜。兎絲在伏苓之上，故曰「上有兎絲」，非謂在松之上也。伏苓在兎絲之下，故曰「下有伏苓」，亦非謂在松之下也。若云：「千年之松，下有伏苓，上有兎絲」，則是以上下爲松之上下矣。然則「上有叢蓍，下有伏龜」又作何解乎？高注云：「伏苓，千歲松脂也，兎絲生其上而無根」，此謂松脂入地千年爲伏苓，博物志引神仙傳曰：「松脂入地千年，化爲伏苓」。非謂千年之松下有伏苓也。且注云「兎絲生其上」，其字指伏苓而言，不指松言，則正文內本無「千年之松」四字明矣。呂氏春秋精通篇注、太平御覽藥部六、嘉祐本草補注，埤雅引此皆無「千年之松」四字。史記續龜策傳引傳曰：「下有伏靈，上有兎絲」，亦無千年松之語。

大成謹案王校是也。政和本草十二、離騷草木疏二、杜甫嚴氏溪放歌黃鶴注卷四、萬卷菁華十二引此文，亦皆無「千年之松」四字。政和本草六引陶隱居注：「舊言：下有茯苓，上生兎絲」，又引本草圖經：「上有菟絲，下有茯苓」，又掌禹錫引抱朴子：「菟絲之草，下有伏兎之根」，並可證也。

楚王有白蝯，王自射之，則博矢而熙；使養由其射之，始調弓矯矢，未發，而蝯擁柱號矣。

王念孫曰：「擁柱」當爲「擁樹」，聲之誤也。文選幽通賦注引此作「抱樹」，太平御覽兵部八十一引作「擁樹」。

劉文典曰：御覽三百五十、文選張茂先勵志詩注引「擁柱」作「抱木」，餘同。

王先生曰：王說是也。類林殘卷九引此作「抱樹」，白帖九七亦作「抱樹」，惟未言引何書。與文選注引同。事文類聚後集三七引作「擁樹」，與御覽引同。御覽三百五十、事類賦十三引韓非子有此文，亦並作「擁樹」，咸可證柱爲樹之聲誤。

鄭良樹曰：類說、韻府羣玉四引此，「擁柱」亦並作「擁樹」。事文類聚前集四二引作「擁木」，木，亦猶樹也。

大成謹案紺珠集引作「抱樹」，徐狀元蒙求集注引亦作「擁樹」，後漢班固傳注引作「擁木」。

欲學歌謳者，必先徵羽樂風；欲美和者，必先始於陽阿采菱。

王念孫曰：下「必先」二字，因上「必先」而衍。「始於」與「必先」相對爲文，不當更有「必先」二字。北堂書鈔樂部一、藝文類聚樂部一、太平御覽樂部三引此，並作「始於陽阿采菱」，無「必先」二字。

大成謹案天中記四十二引亦無「必先」二字，四部備要本路史前紀八有眉批，引同，唯不知何人所批。

故桑葉落而長年悲也。

王念孫曰：「桑葉」當爲「木葉」，長年見木落而悲，不當專指桑葉言之。庾信枯樹賦引此正作「木葉」，文選蜀都賦注、文賦注、太平御覽人事部一百二十九所引，並與枯樹賦同。

大成謹案杜甫送殿中楊監赴蜀見相公詩黃鶴注卷六、又暮冬送蘇四郎徯兵曹適貴州詩黃鶴注卷十、蘇軾秋懷詩趙次公注集註分類卷二、又別歲詩趙次公注卷十引桑亦並作木。但木字本有桑音，列子湯問篇「越之東有輒木之國」，注音木字爲又康反，世德堂本如此，宋本木作沐，康作休。山海經東次三經「南望幼海，東望榑木」，注

：「扶桑二音」，並其證也。呂氏春秋求人篇「東至榑木之地」，亦當讀爲扶桑。孫志祖嘗言之，見讀書脞錄七。

朱儒問徑天高於脩人，

王念孫曰：「天高」上不當有徑字，蓋衍文也。意林及太平御覽人事部十八引此，皆無徑字。鄭良樹曰：王校是也。永樂大典二一九七八引此「天高」上亦無徑字。大成謹案萬卷菁華九引「天高」上亦無徑字。

說林篇

蔐苗類絮而不可爲絮，蔐苗，荻秀。楚人謂之蔐。蔐讀敵戰之敵。幽冀謂之荻苕也。

王念孫曰：蔐本作藡，注同。故注「讀如敵戰之敵」，注內「荻秀」本作「萑秀」，「楚人謂之蔐」本作「楚人謂之藡苗」。藡與荻同，玉篇：「藡，徒歷切，苕也，或作荻」。藡苗者，荻之穗也。苗音他六、徒歷二反，字從由，不從田。荻華如絮而不溫，故曰「類絮而不可以爲絮」。荻或謂之萑，廣雅曰：「藡，萑也」，齊民要術引陸機毛詩疏曰：「亂或謂之荻，至秋堅成，卽謂之萑」，是萑、藡一物也。其穗則謂之藡苗，故注云：「藡苗，萑秀，楚人謂之藡苗」。玉篇苗音他六、徒歷二切，苗與苕一聲之轉，故幽冀謂之荻苕也。太平御覽布帛部六、百卉部七引此並作「藡苗類絮而不可以爲絮」，又引高注「藡苗，萑秀也」。今本藡字皆誤作蔐，注內「楚人謂之藡」下又脫苗字，「萑秀」又改爲「荻秀」，不知荻卽藡字也。

大成謹案王校是也。葉本注「楚人謂之蔄」下正有「苗也」。

羊肉不慕螘；螘慕於羊肉，羊肉羶也。醯酸不慕蚋；蚋慕於醯，酸。

王念孫曰：下三句當作「醯不慕蚋，蚋慕於醯，醯酸也」，與上三句相對爲文。今本「醯不慕蚋」句內衍一酸字，「醯酸也」句內又脫醯字、也字，則文不成義。太平御覽蟲豸部二引此已誤，唯也字未脫。

于　鬯曰：「羊肉羶也」四字蓋注文溷入正文。

大成謹案御覽引此文作「羊肉不慕蟻；蟻慕於羊肉，羶也。醯酸不慕蚋；蚋慕於醯，酸也」，疑所引唯「醯酸不慕蚋」句內與今本同衍酸字耳。後人據莊子徐无鬼篇誤重「羊肉」二字，王氏遂據以訂下文「酸也」上別有醯字，其實非也。鶡冠子道端篇陸佃注云：「羊肉不慕蟻，蟻慕羶也」，即用淮南文而有節略，然文義亦自明。此文「羊肉」、「醯」皆無須重，文義亦明。此文當從御覽引删「羊肉」二字，末句酸下補字也，「不慕蚋」上從王說删酸字。家香草以「羊肉羶也」四字爲注文溷入正文，非，莊子有，淮南用莊文，删「羊肉」二字爾。

當凍而不死者，不失其適。死乃爲失適，又死，故曰不失其適也。當暑而不暍者，不亡適。亡亦失之。未嘗適，亡適。亡，無。言不凍亦暍，何適之有也。

王引之曰：「未嘗適亡適」當作「未嘗不適，亡適」。上言「不亡其適」，乃亡失之亡；此言「亡適」，乃遺忘之忘。言人心有所謂適，則有所謂不適。當凍而不死，當暑而不暍者，能不失其適矣，而猶未忘乎其爲適也。若隨所往而未嘗不適者，則忘乎其爲適矣。莊子達生篇曰：「忘足，屨之適也。忘要，帶之適也。知忘是非，心之適也。不內變，不外從，事會之適也。始乎適而未嘗不適者，忘適之適也」，郭象注：「識適者猶未適也」。此卽淮南所本。高解「未嘗不適，亡適」云：「亡，無。言不凍不暍，何適之有」，未達正文之意。然據此則正文本作「未嘗不適」，而今本脫不字明矣。

陶鴻慶曰：「凍而不死」，不可爲適，與「當暑不暍」並舉，殊爲不倫。高注云：「死乃爲適，適又死，故曰不失其適也」，注意謂雖去生時之適，又就死時之適，故不失其適也。是正文本作「當凍而死者，不失其適」，言凍爲不適，凍而死則不失其適矣。卽道家齊死生之義。莊、列諸書屢發明此旨。今本誤作「不死」，則注文不可通矣。又案王氏云：「未嘗適，亡其適」當作「未嘗不適，忘適」，其說是已。惟謂「亡適」乃遺忘之忘，「不亡其適」乃亡失之亡，則非也。「不亡其適」亦卽不忘其適。「當暑而不暍者不忘其適」，與「當凍而死者不失其適」，義正相反。言當凍而死者，始於不適，而不失其適；當暑而不暍者，自以爲適，而實未忘其適；皆不足爲忘適之適。惟未嘗不適者，乃爲忘適之適也。莊子達生篇「始乎適而未嘗不適者，忘適之適也」，卽此義。高於「不忘其適」注云：「亡亦失也」，未得其旨。

大成謹案王氏所校此條，精確難迻；陶氏誤據繆本，致生糾纏，且于文義亦未憭。注文藏本亦有誤字，「死乃爲失適。又死，故曰不失其適也」，景宋本又作不；「言不凍亦暍」，景宋本亦作不，皆是也。莊氏伯鴻以「死乃爲失適。又死」不可通，乃妄改爲「死乃爲適，適又死」，陶氏遂據之疑「當凍而不死者」衍不字，又謂「當暑而不暍者不亡適」，劉本適上補其字，與上一例，莊本從之，是。與上句義相反，亡字當訓爲忘云云，皆非也。此文之意，謂人有當凍而不死，當暑而不暍者，其故何也？蓋能得其內而忘其外，故能不失其適也。能不失其適者，猶未忘乎其爲適也；若隨所往而未嘗不適者，則忘乎其爲適矣。「當凍而不死者不失其適」，非齊死生，廼同外內之義。在內者得，則忘其肝膽，遺其耳目，大澤焚而不能熱，河漢沍而不能寒，疾雷破山飄風振海而不能驚矣，故能當凍不死，與「當暑而不暍」句義同。「不失其適」即「不亡其適」，高注「亡亦失之」，劉本改之作也，是。正得此義。陶氏之說皆謬。

蠶食而不飲，二十二日而化。

王念孫曰：「二十二」當爲「三十二」。爾雅翼引此已誤。盧辯注大戴禮易本命篇及太平御覽資產部五、蟲豸部一並引作「三十二日」。

大成謹案秦觀蠶書云：「蠶生明日，桑或柘葉風戾以食之。寸二十分，晝夜五食，九日。不食一日一夜，謂之初眠。又七日再眠，如初。既食葉寸十分，晝夜六食。又七日三眠，如再。又七日若五日，不食二日，謂之大眠。食半葉，晝夜八食。又三日健食，乃食全葉，晝夜十食。不三日遂繭」，合計之，自生至食全葉，凡三十六日，至繭凡三十九日。故爾雅翼二十四云：「食而不飲，三十六日而化」。本草綱目三十九云：「食而不飲，三眠三起，二十七日而老」，則亦不定是三十二日。盧注大戴引作「三十二日」，或淮南古本如此，王氏援以爲證可矣。御覽資產部五引作「三十日」；爾雅翼二十七、萬卷菁華五引同。蟲豸部一引作「二十二日」，與今本同，並不作「三十二日」。王氏改古人以就我，亦不足爲典要。

罜者舉之。

王念孫曰：罜非取魚之具，意林、埤雅及初學記武部、太平御覽資產部十四引此，並作「罾者舉之」，是也。

王先生云：王校是也。宋本罜正作罾。

鄭良樹云：韻府群玉十五引此，亦作「罾者舉之」。

大成謹案諸子類語四引罜亦作罾。

蘇秦步，（步，餘行也。）曰：何故？（人問何故。）趍，曰：何趍馳？有爲則議，多事固苛。（蘇秦爲多事之人，故見議見苛也。）

王引之曰：馳字非原文所有，蓋後人見字書、韻書「趍趙」之趍音馳，故旁記馳字，而寫者遂誤入正文也。不知此趍字（七俱反）乃趨之變體，與音馳之趍相似而實非也。步爲徐行，趨爲疾行，故先言步，後言趨。高注：「步，徐行也」，正以別於下句之趨也。「步，曰何故」，步與故爲韻，「趨，曰何趨」，趨與趨爲韻。或曰：當作「趍，曰何馳」，今知不然者，馳乃馬疾行之名，人行不得言馳也。

俞樾曰：此當作「蘇秦步，曰：何故？趨，曰：何趨？馳，曰：何馳」，因首句高注有「何故」二字，遂誤正文「何步」爲「何故」，而馳下又脫「曰：何馳」三字，則文不成義矣。

李明哲曰：文句不甚瞭然。疑下趍字衍；或作「蘇秦曰：步何故趍，趍何故馳」。蓋趍疾於步，馳疾於趍，以起下「有爲」二句，言進必以漸，毋爲急疾，欲有爲則謀議之，自得其序，急疾則反多事，多事必煩苛矣。譬之安步可至，何故求速而趍且馳也。注謂蘇秦爲多事之人，匪唯無意義，且此篇文例但雜徵叢說，無議及一人之得失者；人問何故之說亦失之。

大成謹案景宋本二趍字並作趨，王說趍乃趨之變體，其說是也。上二句當作「蘇秦步，曰：何故？趨，曰：何趣」，馳字衍，王說是也。卜趍字本作趣。趣，促也。趣、趨古每通用，故傳寫遂爲趨，又易爲趍。步、故爲韻，趨、趣爲韻。「步，曰：何故」者，怪其徐也；「趨，曰：何趣」者，怪其疾也。蓋蘇秦之爲人也，有爲多事，故凡舉動則爲人所議所訶也。訶字經傳皆以苛爲之。「固苛」之固，字或作故，固猶則也，見釋詞。馳爲馬疾行之名，人行不得言馳，王氏已言之矣，而俞氏猶欲於馳字下補「曰何馳」，非。李說尤無理。注文「餘行」當爲「徐行」，劉本、莊本不誤，雜志逕引作徐矣。「蘇秦爲多事之人」，爲上奪有字，有爲、多事，固見議，見苛、注蓋合正文兩句而統釋之。

人性便絲衣帛；或射之，則被鎧甲。

陳昌齊曰：「便絲衣帛」當作「便衣絲帛」。「衣絲帛」與「被鎧甲」相對。文子上德篇作「衣絲帛」。

大成謹案文子亦當作「衣絲帛」，朱弁本、寶曆本並作「衣絲帛」。

布之新不如紵，紵之弊不如布。或善爲新，或惡爲故。

王念孫曰：「或惡爲故」本作「或善爲故」，言紵善爲新，布善爲故也。今本作「或惡爲故」者，後人不曉文義而妄改之耳。太平御覽布帛部七引此正作「或善爲故」。

顧廣圻曰：宋本惡作善，最是。（王先生說同）

大成謹案萬卷菁華五引惡亦作善。

石生而堅，蘭生而芳，少自其質，長而愈明。

王念孫曰：「少自其質」，自當依劉本作有，字之誤也。文子上德篇作「少而有之，長而逾明」。

鄭良樹曰：王鎣本、朱本「少自其質」亦作「少有其質」。

大成謹案喻林一百十引亦作「少有其質」。

再生者不穫，華大旱者不胥時落。

陳昌齊曰：大與太同；旱當爲早，字之誤也。再生者不穫，以其不及時也；華太早者先落，以其先時也。文子上德篇作「華太早者不須霜而落」。

大成謹案陳說是也。喻林百十六引旱正作早。浙局本、集證本並從其說改作早字矣。

人間篇

有寑丘者，其地确石而名醜。（寑丘，今汝南固始地。）

王引之曰：此當作「有有寑之邱者，其地确而名醜」，今本「有有寑之邱者」脫一有字及之字，确下又衍石字。列子云：「楚越之閒，有寑邱者」，呂氏春秋云：「楚越之閒，有有寑之邱者」。「

有有寖之邱者」，今本作「有寖邱者」，涉注文而誤也。注但言「寖邱」者，詳言之則曰「有寖之邱」，略言之則曰「寖邱」。故列子作「寢邱」，而呂氏春秋作「有寢之邱」，今本亦脫有字，唯之字未脫。下文云：「其子請有寖之邱」，又云：「孫叔敖請有寖之邱」，則此亦當作「有寖之邱」明矣。

大成謹案王說誤也。續漢志汝南郡：「固始侯國，故寢也。光武中興，更名有寢丘」，漢志汝南郡寑，應劭曰：「孫叔敖子所邑之寑丘是也」，然則其地古但名寖，或曰寖丘，至光武乃改名有寢丘。故史記滑稽列傳：「於是莊王謝優孟，乃召孫叔敖子，封之寢丘四百戶」，又白起王翦列傳：「蒙恬攻寢」，御覽百五十九引寢下有丘字。又梁玉繩謂「蒙恬」當爲「蒙武」。及列子述此事，皆止言「寢丘」，無言「有寢之丘」者。今本呂氏春秋此文作「有寢之丘者」，之字是衍文，滑稽列傳正義、渚宮舊事、御覽百五十九引皆無之字。卽有之字，亦不妨作助字用，猶驪姬之偁驪之姬，介推之偁介之推矣。許注止出「寖丘」，知所據正不作「有寖之丘」也。至下文之「其子請有寖之丘」，呂氏春秋亦無有字，則有字當涉此文有字而衍；下「孫叔敖之請有寖之丘」視此。王氏不考其地名沿革，遽欲馮虛增字，不惟增改淮南，又於呂氏春秋亦同加增改，可謂傎矣。

事或欲以利之，適足以害之；或欲害之，乃反以利之。利害之反，禍福之門戶，不可不察也。

王念孫曰：「或欲利之」，「或欲害之」，相對爲文，「利之」上不當有以字，此因下句以字而誤衍也。太平御覽學部三引此無以字。「禍福之門戶」戶字亦因上文「禍福之門戶」而衍。「利害之反，禍福之門」，相對爲文，則戶字可省。覽冥篇「利害之路，禍福之門」，卽其證。太平御覽引此無戶字，文子微明篇同。

鄭良樹曰：王校是也。文子微明篇、記纂淵海五九引此利上亦並無以字。

大成謹案萬卷菁華三引此，「利之」上亦無以字，門下亦無戶字。

出之者怨之曰：我非故與子反也，爲之蒙死被罪，而乃反傷我。

王念孫曰：「我非故與子反也」，反當爲友，言素與陽虎無交，而爲之蒙死被罪也。今作反者，涉上下文反字而誤。

大成謹案王說是也。王鎣本反正作友。

此所謂與之而反取者也。

王念孫曰：取下脫之字。上文云：「或與之而反取之」，是其證。

大成謹案王說是也。王鎣本取下正有之字。

丁壯者引絃而戰。

王念孫曰：引本作控，此亦後人以意改之也。文選幽通賦注、太平御覽禮儀部四十引此並作「控弦而戰」；漢書叙傳注及藝文類聚禮部下、獸部上、太平御覽獸部八並引作「皆控弦而戰」；藝文類聚又引注云：「控，張也」，則本作控明矣。

王先生曰：記纂淵海九八、事文類聚後集三八引此亦並作「皆控弦而戰」，天中記五五引者下亦有皆字。

大成謹案類林引亦作「皆控弦」，後漢蔡邕傳注、杜甫戲贈友詩黃鶴注（卷三）引亦有皆字。蓋皆與者形似，故奪皆字。

夫牆之壞也於隙，劍之折必有齧。聖人見之密，故萬物莫能傷也。

陳昌齊曰：密當爲蚤，字之誤也。上文「禍生而不蚤滅」，即其證。

王先生曰：陳校是也。宋本、茅本、漢魏叢書本皆作蚤。（顧廣圻說同）

鄭良樹曰：記纂淵海五二引此密作蚤，可補陳說。

大成謹案喩林三十八引亦作蚤。

夫鵲先識歲之多風也，去高木而巢扶枝。

王念孫曰：鵲上脫烏字。下文「烏鵲之智」，卽其證。初學記天部上、太平御覽天部九、白帖二引此，皆有烏字。

鄭良樹曰：記纂淵海五七、錦繡萬花谷後集二、天中記二引此鵲上並有烏字，可證王說。

大成謹案歲華紀麗二、事類賦注二、黃山谷次韻王荆公詩任淵注（內集三）引鵲上皆有烏字。

夫歌采菱，發陽阿，鄙人聽之，不若此延路陽扃。（延路陽扃，鄙歌曲也。）

王念孫曰：「不若此」此字因上文「若此其無方」而衍。路本作露，脫去上半耳。「陽扃」本作「以和」，因上文「發陽阿」而誤爲「陽阿」，阿又誤爲扃也。（劉本改扃爲局，而莊本從之，謬矣。）李善注吳都賦、月賦、舞賦、長笛賦、七啓引此並作「不若延露以和」，是其明證。注中「陽扃」二字，亦隨正文而衍。

吳都賦注引高誘曰：「延露，鄙歌曲也」，無此二字。

劉文典曰：王說是也。北堂書鈔一百六引亦無此字。

大成謹案御覽五百七十二引亦無此字，御覽、玉海一百三引路亦作露，王校是也。唯局字景宋本已如此，則非劉績所改。

湯教祝網者，而四十國朝。文王葬死人之骸，而九夷歸之。武王蔭暍人於樾下，左擁而右扇之，而天下懷其德。越王勾踐一決獄不辜，援龍淵而切其股，血流至足，以自罰也，而戰武士必其死。

王念孫曰：太平御覽疾病部四引此，「九夷歸之」作「九夷順」，無之字；「天下懷」下無「其德」二字。初學記帝王部引此云：「武王蔭暍人於樾下，而天下懷之」；案「九夷歸」、「天下懷」與「四十國朝」相對爲文，則歸下本無之字，懷下亦無「其德」二字。陳氏觀樓曰：「戰武士必其死」，士字、其字皆後人所加。淮南一書，皆謂士爲武，戰武卽戰士也，故御覽引作「戰士畢死」。畢、必古字通。

鄭良樹曰：王校是也。事文類聚前集八、天中記六引此並作「武王蔭暍人於柳下，而天下懷」。又「左擁而右扇之」於義無取，疑是他處錯簡也。「武王蔭暍人於樾下而天下懷」，與上文「湯教祝網者而四十國朝」，「文王葬死人之骸而九夷歸」句法一律。初學記、事文類聚、天中記引此並無此句，是其證。

大成謹案王安石與國樓上作詩李壁注卷四十七引亦無「其德」二字，王校是也。其引樾誤作柳，事文類聚承其誤。又案此文以「湯敎祝網者，而四十國朝。文王葬死人之骸，而九夷歸」相對爲文，「武王蔭暍人於樾下，左擁而右扇之，而天下懷。越王勾踐一決獄不辜，援龍淵而切其股，血流至足，以自罰也，而戰武必死」相對爲文。武王云云，本不與湯、文王云云相對。天中記六引世說亦云：「武王見暍人，王自左擁而右扇之」，亦有此六字，則鄭說非也。

夫狐之捕雉也，必先卑體彌耳，以待其來也。

王念孫曰：「彌耳」當爲「弭毛」，毛字因弭字而誤爲耳，後人又改弭爲彌耳。楚辭離騷注曰：「弭，按也」，言卑其體，按其毛，以待雉之來也。太平御覽人事部一百三十五、獸部二十一並引此云：「夫狐之搏雉也，必卑體弭毛，以待其來也」；高注呂氏春秋決勝篇云：「若狐之搏雉，俯體弭毛」，卽用淮南之文；吳越春秋勾踐歸國外傳亦云：「猛獸將擊，必弭毛帖伏」。

大成謹案萬卷菁華十七引亦作「弭毛」，又景宋本及喻林十一引此文弭字亦不誤。王校是也。然弭、彌古亦通用，周禮春官男巫「春招弭以除疾病」，杜子春讀弭如彌兵之彌，則今本作彌亦非誤字。

脩務篇

時多疾病毒傷之害。

王念孫曰：「疾病」本作「疹病」，此疹字卽疢疾之疢，非瘡疹之疹也。史記貨殖傳正義、太平御覽皇王部三、資產部三、鱗介部十三引此並作「疹病」，是其證。

鄭良樹曰：王校是也。永樂大典引此疾亦作疹。

大成謹案萬卷菁華五引疾亦作疹。

當此之時，一日而遇七十毒。

王念孫曰：遇字後人所加。太平御覽皇王部三、資產部三、百卉部一及寇宗奭本草衍義序例引此並作「一日而七十毒」，無遇字。路史禪通紀同。

鄭良樹曰：記纂淵海九一、事物紀原七、事文類聚後集三二、永樂大典一三一九四引此並作「一日而七十毒」，可證王說。

大成謹案事類賦注二十四、本草嘉祐補注總序、爾雅翼序王應麟釋、漢書藝文志考證十、萬卷菁華五引亦並無遇字。

禹沐浴霪雨，櫛扶風。

王念孫曰：沐下本無浴字，「沐霪雨，櫛扶風」相對爲文，多一浴字，則句法參差矣。藝文類聚帝王部一、太平御覽皇王部七、文選謝朓和王著作八公山詩注引此皆無浴字。莊子天下篇「禹沐甚雨，櫛疾風」，此卽淮南所本。

大成謹案御覽九九天部九引沐下亦無浴字，王校是也。

是故禹之爲水，以身解於陽盱之河。

王念孫曰：「禹之爲水」，蜀志郤正傳注、齊民要術序、文選應璩與岑文瑜書注、太平御覽皇王部

七、禮儀部八引此，並無之字。

鄭良樹曰：王校是也。玉海二一引作「禹爲水」，一百二引作「禹治水」，並無之字。

大成謹案藝文類聚十一、海錄碎事二引亦無之字。

是以聖人不高山，不廣河，蒙恥辱以干世主，非以貪祿慕位，欲事起天下利，而除萬民之害。事，治也。

王念孫曰：「事起天下利」本作「事天下之利」，故高注云：「事，治也」。今本利上脫之字，其事下起字則後人依文子加之也。「事天下之利，除萬民之害」，相對爲文，事下不當有起字。藝文類聚人部四、太平御覽人事部四十二、七十二引此，並作「欲事天下之利，除萬民之害也」，是其證。

于省吾曰：王謂今本利上脫之字，是也。王每依文子以改本書，而此起字謂爲後人依文子加之，是不得其解而爲意說也。按注訓事爲治，非也。事、使金文同字。上言「是以聖人不高山，不廣河，蒙恥辱以干世主，非以貪祿慕位」，故此接以「欲使起天下之利而除萬民之害」，使謂使世主爲之也。利言起而害言除，正相對爲文。

楊樹達曰：王校利上補之字，是也；而校刪起字，則非是。「欲事起天下之利而除萬民之害」，謂欲從事於起天下之利，除萬民之害也。事字統起利、除害兩事爲言。如王說，非原文立言之旨矣。

大成謹案起字非衍文，文子有，長短經是非篇亦有，可證也。于、楊說是，王說非。利上當有之字，文子、長短經並有，王說是也。事字楊說是，于說非。又害下當有也字，類聚、御覽並有，文子亦有。

權自然之事，而曲故不得容者。

王念孫曰：當依文子作「推自然之勢」，字之誤也。

大成謹案王說是也。日本寶曆本文子江忠囿序引此文，字正作推。彼邦於我舊籍，多有古本，江氏所引，可證王說。

及至圉人擾之，良御教之，掩以衡軛，連以轡銜，則雖歷險超塹，弗敢辭。

王念孫曰：險與塹不同義，諸書亦無以險塹連文者。太平御覽工藝部三、獸部八引此，並作「歷險超塹」，是也。超，越也。

顧廣圻曰：宋本塹上有超字。

大成謹案茅本亦有超字，事類賦注二十一引亦有。

禹生於石，

王引之云：太平御覽皇親部一引河圖著命曰：「脩己見流星，意感生禹」，又引禮含文嘉曰：「夏姒氏祖以薏苡生」，又引孝經鉤命決曰：「命星貫昴，脩紀夢接生禹」，是禹之生，或以爲感流星，或以爲呑薏苡，無言生於石者。史記六國表：「禹興於西羌」，集解引皇甫謐曰：「孟子稱禹生石紐，西夷人也」，蜀志秦宓傳曰：「禹生石紐，今之汶山郡是也」，注引譙周蜀本紀曰：「禹本汶山廣柔縣人也，生於石紐，其地名刳兒坪」，水經沫水注曰：「廣柔縣有石紐鄉，禹所生也」，是石紐乃地名。禹生石紐，猶言舜生於諸馮，文王生於岐周，非謂感石而生也。偏考諸書，無禹生於石之說。禹當爲啓。郭璞注中山經泰室之山云：「啓母化爲石而生啓，在此山。見淮南子」，是淮南古本有作「啓生於石」者。及考漢書武帝紀：「詔曰：朕至於中嶽，見夏后啓母石」，應劭曰：「啓生而母化爲石」，師古曰：「禹治鴻水，通轘轅山，化爲熊，謂塗山氏曰：『欲餉，聞鼓聲乃來』。禹跳石，誤中鼓。塗山氏往，見禹方作熊，慙而去。至嵩高山下化爲石，方生啓。禹曰：『歸我子』！石破北方而啓生。事見淮南子」。又御覽地部十六引淮南，與師古注略同。又北堂書鈔后妃部一亦引淮南「石破生啓」。蓋許愼本作「啓生於石」，書鈔、御覽及師古注所引，卽許愼之注，郭璞所云「啓母化爲石而生啓，見淮南子」者，亦用許愼注也。

阮廷焯曰：禹疑當作啓。隨巢子佚文正作「啓生於石」，卽此文所本。又有舊注云：「禹娶塗山氏」云云，（漢書武帝本紀注引謂事見淮南子，楚辭天問補注、弇州山人四部稿宛委餘編四引並稱淮南子。繹史十二引作隨巢子文，未詳所據。此不類淮南子之文，孫志祖讀書脞錄卷四疑爲許愼注語，蓋得其實。）當卽此文許注，正釋啓生於石之事。並其塙證。

大成謹案王、阮校是也。金樓子興王篇亦云：「禹娶塗山氏之女生啓，母化而爲石」。師古引「禹治鴻水」云云事見淮南子者，亦見事類賦注七、册府元龜二、通志三上、元程棨三柳軒雜識、林坤誠齋雜記上諸書引。唯宋已後諸引，蓋皆轉引自小顏，朱子天問集註云：「淮南所說禹治水時自化爲熊云云，見漢書注」、是朱子已不見其文矣。繹史引作隨巢子者，天中記八引有之。王氏謂「偏考諸書，無禹生於石之說」，此亦不然。册府元龜二：「夏禹母曰脩己，山行見流星貫昴，夢接意感，又吞神珠，背剖而生禹於石」，當卽河圖之文，唯此或有奪文，金樓子石下有紐字。軒轅本紀

：「大禹壽三百六十歲，入九嶷山，仙飛去。後三千六百歲，堯理天下，洪水既甚，人民墊溺，大禹念之，乃化生於石紐山泉。女狄暮汲水，得石子如珠，愛而吞之，有娠，十四月生子。及長，能知泉源，代父鯀理洪水，三年功成。堯帝知其功如古大禹，知水源，乃賜號禹」，女狄吞石子而生禹，是亦生于石也。唯許本當作啓，高本作禹，許是高非，則王說甚是。

夫鴈順風，以愛氣力，銜蘆而翔，以備矰弋。

王念孫曰：「順風」下本有「而飛」二字，與「銜蘆而翔」相對爲文。今本脫此二字，則與下文不對。藝文類聚鳥部中、白帖九十四、太平御覽羽族部四引此並作「從風而飛，以愛氣力」，說苑說叢篇作「順風而飛，以助氣力」，皆其證。

鄭良樹曰：王校是也。天中記五八引此「順風」下亦有「而飛」二字，引順亦作從，與藝文類聚、白帖、太平御覽引合。

大成謹案事類賦注十九、陳師道歸鴈詩任淵注引亦有「而飛」二字，王校是也。崔豹古今注鳥獸第四：「鴈自河北渡江南，瘦瘠能高飛，不畏矰繳。江南沃饒，每至還河北，體肥不能高飛，恐爲虞人所獲，嘗銜蘆，長數寸，以防矰繳焉」，又選蜀都賦劉淵林注曰：「銜蘆以禦矰繳，令不得截其翼也」。

南見老聃，受教一言，精神曉泠，鈍閔條達，欣然七日不食如饗太牢。

王引之曰：「七日不食」上當有若字，如讀爲而。言聞老聃之言，若七日不食而饗太牢也。賈子云

：「南榮趎既遇老聃，見教一言，若飢十日而得太牢」，是其證。文子精誠篇襲用此文，而改之曰：「勤苦七日不食如享太牢」，失其指矣。

大成謹案王校非也。景宋本然作若，若字以義同通用譌爲然，非然下別有一若字也。文子作「勤苦」，卽「欣若」之譌，益足證文不當作「欣然若」。劉家立不知王校之非，竟從其說，於「欣然」下增若字，益非。

謝子，山東辯士，固權說以取少主。

王引之曰：權本作奮，奮字上半與權字右半相似，又涉注內權字而誤也。高注曰：「常發其巧說以取少主之權」，發字正釋奮字。「以取少主之權」，乃加「之權」二字以申明其義，正非文有權字也。呂氏春秋去宥篇正作「將奮於說以取少主」。劉台拱說同

大成謹案如王說，則「固發說」殊爲不詞，王說非也。固乃奮字之誤。奮壞爲田，後人因改爲固字耳。春秋繁露玉英：「權，譎也」，權說者，譎詐之說也，故高釋爲巧說。高注「發其巧說」，正釋「奮權說」三字，又加「之權」以足義耳。

楚人有烹猴，而召其鄰人，以爲狗羹也而甘之。後聞其猴也，據地而吐之，盡寫其食。

王念孫曰：「鄰人」下當更有「鄰人」二字，今本脫去，則文義不明。北堂書鈔酒食部三、初學記器物部、太平御覽飲食部十九、獸部二十二引此，並疊「鄰人」二字。「盡寫其食」亦當依初學記、太平御覽引作「盡寫其所食」。

大成謹案意林、萬卷菁華十七、十八引亦疊「鄰人」，萬卷菁華十七引亦作「盡寫其所食」。

苗山之鋋，羊頭之銷。

王念孫曰：鋋當爲鋌，字之誤也。鋌音挺。說文：「鋌，銅鐵樸也」，文選七命注引此篇「苗山之鋌七發注同。，羊頭之銷」，又引許愼注曰：「鋌，銅鐵樸也。銷，生鐵也」，是其證。

大成謹案玉海百五十一引鋋亦作鋌，是許本如此。高本當作鋋，與許不同，詳于省吾說。

藜藿之生，蝡蝡然日加數寸，不可以爲櫨棟。

王念孫曰：「藜藿」當爲「藜藋」，字之誤也。太平御覽百卉部引此正作「藜藋」。

大成謹案王校是也。爾雅翼六藋下引此，亦作「藜藋」。

泰族篇

秦穆公爲野人食駿馬肉之傷也，飲之美酒。韓之戰，以其死力報，非劵之所責也。

王念孫曰：責上脫能字。上文云：「非令之所能召也」，下文云：「非刑之所能禁也」，「非法之所能致也」，是其證。

大成謹案王校是也，喻林六十二引責上正有能字。

孔子曰：小辯破言，小利破義，小義破道。小見不達，必簡。

王念孫曰：「必簡」上當更有達字。文子上仁篇作「道小必不通，通則必簡」，是其證。

俞樾云：「小見」上當有道字，見乃則字之誤，達下當更有達字。其文本曰：「道小則不達，達必簡」。文子上仁篇作「道小必不通，通則必簡」，與此文小異而義同。若如今本，則不成文理矣。

大成謹案王、俞說達下更有達字，是也。劉績本已補入，王鎣本從之矣。俞氏謂「小見」上當有道字，見當作則，殆非。見疑卽道字闕壞而誤，王、俞所補達字下當更有道字。此文本作「小道不達，達道必簡」。大戴記小辯篇作「道小不通，通道必簡」，彼云「道小不通」，此云「小道不達」，彼云「通道必簡」，此云「達道必簡」一也。又文子作「通必簡」，無則字，王、俞引並誤。

河以逶蛇故能遠，山以陵遲故能高，陰陽無爲故能和，道以優游故能化。

王念孫曰：「陰陽無爲，故能和」，後人所加也。此以河之逶蛇，山之陵遲，喻道之優游。若加入「陰陽無爲」二句，則與逶蛇、陵遲、優游之義咸不相比附矣。且「陰陽無爲」與「河以逶蛇」三句句法亦屬參差。太平御覽地部二十六引淮南無此二句，說苑說叢篇、文子上仁篇並同。

鄭良樹曰：王校是也。天中記九引淮南此節亦無「陰陽無爲，故能和」二句。

大成謹案事類賦注六引此亦無「陰陽無爲故能和」句。

鞭荆平王之墓，舍昭王之宮。

王念孫曰：「荆平王」之王後人所加，「燒高府之粟」以下皆五字爲句，「荆平」下加王字則累於詞矣。呂氏春秋胥時篇「鞭荆平之墳」，亦無王字。

大成謹案王說誤也。藝文類聚七十三引作「鞭平王之墓」，則荆字後人所加，王字本有也。上文既云：「闔閭伐楚，五戰入郢」，則此不須言荆，荆字涉許注「荆平王殺子胥之父」而誤衍。賈子耳痺篇云：「毀十龍之鍾，（十字誤。）撻平王之墓，昭王失國而奔」，「平王」字正與此同。至王氏援呂氏春秋文爲證，尤爲無理。彼云：「九戰九勝，追北千里，昭王出奔隨。遂有郢。親射王宮，鞭荆平之墳三百」，五戰入郢，本定四年左傳，賈子同；呂氏作九戰，與此異。知當援賈子以證此，而不得援呂氏也。王氏可謂擬于不倫矣。鞭墓事亦見穀梁傳。

人莫不知學之有益於己也，然而不能者，嬉戲害人也。

王念孫曰：「害人」本作「害之」，此涉上下文人字而誤。群書治要及太平御覽學部一引此並作「嬉戲害之也」。

大成謹案萬卷菁華三引人亦作之，王校是也。

趙王遷流於房陵，思故鄉，作爲山水之嘔。（山水之嘔，謳曲。）

王念孫曰：「山水」當爲「山木」，字之誤也。高注同。史記趙世家集解、正義及文選恨賦注引此，並作「山木」。

大成謹案文選枯樹賦注引亦作「山木」，王校是也。唯史記正義未引此文，王氏失檢。恨賦注引高注「山木之嘔，歌曲也」，與今注同，故疑今注是高注闌入。

琴不鳴，而二十五弦各以其聲應。

王念孫曰：劉本琴作瑟，與下文二十五絃合。文子微明篇亦作瑟。

鄭良樹曰：王鎣本琴亦作瑟，蓋從劉本改。

大成謹案諸子類語一引亦作瑟。

原蠶一歲再收，非不利也，然而王法禁之者，爲其殘桑也。

王念孫曰：收本作登，此後人以意改之也。爾雅曰：「登，成也」，天文篇曰：「蠶登」、「蠶不登」是也。爾雅翼引此作收，則所見本已誤。齊民要術，本草圖經及太平御覽資產部五、木部四引此並作登。太平御覽木部又引注云：「登，成也」，是其證。

大成謹案事類賦注二十五、埤雅十一、萬卷菁華二引收亦並作登。又案周禮馬質「禁原蠶者」，鄭注：「蠶與馬同氣，物莫能兩大，禁再蠶者，爲傷馬與」，全氏祖望有辯甚詳，見結埼亭集外編。鄭氏偶忘淮南，故其說不經；全氏辯之是矣，惜亦失引淮南爲證。

要　略　篇

禹之時，天下大水，禹身執虆垂，以爲民先。

王念孫曰：莊云：「太平御覽皇王部七、禮儀部三十四、器物部九、部十皆引此。「虆垂」作「畚挿」，爲是，此誤也」。案垂字誤而虆字不誤，虆謂盛土籠也。垂當爲臿，臿，今之鍬也。韓子五蠹篇「禹之王天下也，身執耒臿以爲民先」，此卽淮南所本。耒與虆聲相近，「耒臿」卽「虆臿」也。太平御覽引此虆作畚，所見本異耳，不得據彼以改此也。垂者，臿之誤，非挿之誤。

王先生曰：王說是也。天中記十一引「虆垂」作「畚挿」，與御覽同。玉海二三、路史後紀十三引垂並作臿，宋本正作凾，庶物異名疏十三引垂亦作臿，惟誤爲呂氏春秋文。顧廣圻說同

鄭良樹曰：永樂大典二二六〇、天中記十引此垂並作凾，與宋本同。

大成謹案王楨農書十三臿下引淮南子作臿，丹鉛雜錄九引呂氏春秋，皆與景宋本合。書鈔八、御覽凡四引，三引作鍤，一引作插。、農書、天中記十一引作「畚臿」，與今本異。王氏謂乃所見本異。今本是許，則作「畚臿」者爲高本矣。則下文「剔河而道九岐」，御覽引作「疏河而導九支」，注「支，分」者，亦高本也。